Paris
le 7 décembre 99

LE NOCHER

Pour Mark et Simon

avec mon amitié
(proche et lointaine)

Yves.

en espérant que ce nouveau
roman vous plaira

Du même auteur

Citelle, poèmes, Cheyne éd., 1989.
La Part animale, roman, Gallimard, 1994.
Le Rêve de Marie, poèmes, éd. Le Temps qu'il fait, 1995.
Clémence, poèmes et proses, éd. Le Temps qu'il fait, 1999.

Yves Bichet

Le Nocher

roman

Fayard

Première partie

Le Sonnant

1

Parfois, il suffit de joindre les doigts pour imiter le monde. Giulio Ferratti retient son souffle, baisse les yeux. La salle d'attente est pleine. Il se penche, contemple de près la jonction de ses doigts. L'espace au milieu est fermé, rempli d'air. Il pèse sur ses phalanges. La peau résiste. S'il appuie encore un peu, la chair blêmit derrière l'ongle. Au bout d'un certain temps, quand la main tremble, la poche d'air se vide à l'intérieur. Giulio lance un coup d'œil farouche à la ronde. Ces événements-là, il les connaît par cœur. Il serre davantage, plisse les yeux. Entre les doigts joints, on voit toujours comme l'autre monde. La contracture gagne lentement le menton et le cou.

On le regarde. La salle d'attente est pleine. Elle regorge de respirations.

Juste en face du mur, quelqu'un a peur.

L'homme qui a peur fait mine de détailler le grand poster où s'étale un vaste panorama montagnard, deux mètres cinquante sur un mètre vingt, un immense massif vaniteux, puissant, absolument glacé. Pas de maison, pas de route ni de chemin, pas le moindre pylône, pas de ruisseau. La chaîne de montagnes resplendit dans le crépuscule, sévère, lointaine, inaccessible, avec seulement quelques mélèzes roussis qui flamboient au premier plan pour attester que c'est l'automne. Ici, dans la ville du Sonnant, c'est la fin de l'hiver. Giulio jette un coup d'œil à sa voisine. La chevelure de l'institutrice du Sonnant tranche sur le mur gris de la salle d'attente comme les mélèzes sur la photographie. Hélène Vallier se sent observée. Elle lève le nez pour sourire. Giulio lâche un peu la pression. Il sourit à son tour. Le sang revient. Il montre ses mains. Il est penaud. Un index d'artisan couvreur, vu de près, ressemble à un menton de vieille femme tout fripé. Quelques poils, des rides concentriques, une lunule bien visible, presque bleutée, des crevasses en grand nombre. Giulio a les ongles en deuil.

Il salue Maurice Pichard qui vient d'entrer mais préfère ne pas lui adresser la parole. Maurice est très gentil, curieux, intuitif. Seulement il bavarde depuis qu'il a quitté le lycée. En quelque sorte abandonner l'école et devenir garçon boucher lui a délié la langue. Quand Maurice ne patiente pas derrière son comptoir, à guetter le client, à bavarder plus que nécessaire, il part sur sa mobylette, descend jusqu'au lac, parcourt les rues de la ville, s'arrête aux bistrots ou même parfois, faute de mieux, traîne dans les parages de l'ancien lycée, pour crâner. Il cherche la compagnie. Il parle beaucoup, mais jamais en premier. C'est un bavard sans culot, un vrai timide. Il ne sait rien faire. Il visite aussi les chantiers de Giulio, il inspecte. Seulement, Giulio, aujourd'hui, avec ses ongles en deuil, n'a pas envie d'être aimable. Pas avec lui.

Il rend son sourire à l'institutrice. Elle, immédiatement, replonge le nez dans son magazine. On perçoit un mouvement derrière la porte capitonnée, des bribes de conversation, la voix du docteur. Les cloisons sont minces.

Il joint les doigts, les écarte, les rapproche. A l'intérieur des doigts, la bulle d'air ne paraît pas souffrir. Il la tient dans ses paumes, la réchauffe. Si on observe de près la chaîne de montagnes, on distingue sur la droite deux coulées de pierrailles qui semblent s'échapper des neiges éternelles, ou des nuages, ou des séracs. Au centre des éboulis apparaît une sorte de renfoncement étroit, comme le profil ombré d'une grotte, une petite caverne. Giulio est persuadé que l'institutrice, derrière son journal, fixe également l'entrée de la grotte. Et les deux gosses du boulanger aussi, qui balancent leurs talons sous les chaises. Et la femme enceinte près de la porte. Parfois, un des talons des écoliers ripe le long du cartable. On entend la trousse se dégonfler à l'intérieur, protester, gémir. Petites respirations plastifiées.

L'école, l'odeur du taille-crayon, de la gomme anglaise, de l'encre, des vieux mouchoirs dans la poche, contre le slip… Tout ce qu'il aime et qui lui fait penser à rien… Les deux gosses s'en fichent. Ils visent leur cartable. Mademoiselle Vallier, elle, semble très absorbée par sa lecture. Pourtant, elle n'a pas tourné une page depuis dix minutes… Rien n'échappe à Giulio. Il surveille derrière ses doigts entrouverts ; il compte les regards en coin, les sourires, les œillades.

Il se tasse. La grotte vient de disparaître avec l'odeur. Il ne voit plus les éboulis qui l'enserraient, la protégeaient. Là-bas, rien n'est certain, sauf les couleurs, le sentiment du chaud. L'air s'épaissit peu à peu. Si Giulio avance tant soit peu la main, tout devient rougeâtre : la pulpe des doigts, les ongles, les lunules, les mélèzes géants de la photographie, les cils et le chignon de l'institutrice juste un peu décoiffé, et même les lèvres pincées de Maurice Pichard. Rougeâtres. Comme le chien Caronte lorsqu'il se soulage en pleine rue. Les chiens n'ont pas d'éducation. Ils s'immobilisent d'un coup, prennent un air grave et niais, puis vident leurs intérieurs avec un long frissonnement qui les secoue de la nuque aux jarrets. Ce qu'ils abandonnent ensuite sur le trottoir n'intéresse personne. Les passants détournent vaguement la tête, mais sont fascinés. Eux aussi ont besoin de découvrir cette corolle de bête appliquée, cet ourlet rosâtre, froncé comme un sachet. Giulio ne l'ignore pas. Parfois, devant Maurice Pichard, il bat son chien en pleine rue. Caronte ne comprend pas ce qui lui arrive. Pichard non plus. Le chien Caronte doit poursuivre sa tâche ailleurs, avec des yeux misérables.

Giulio retient son souffle. Il perçoit les haleines autour de lui, toutes ces vies fragiles de la salle d'attente. Il les tient dans ses paumes. Il veut tousser. Il a envie de remuer, d'ouvrir sa chemise. Il se racle la gorge derrière ses doigts joints, puis finit par tousser, et lève lentement les paupières. Hélène Vallier rabat son journal. Giulio la regarde droit dans les yeux et tousse. Il ouvre les doigts. Il tousse. Il écarte les mains, dévoile peu à peu son visage à Hélène, le même visage navré que Caronte, les mêmes yeux minables. L'institutrice peut bien se détourner de lui. Elle a peur, elle est fascinée. Giulio distingue parfaitement son regard inquiet. Alors il lui sourit de nouveau. Alors elle a aussi un drôle de sourire et c'est lui qui a peur. Il ramène son bras, incline la tête, détaille ses prunelles dorées sur le pourtour. Des yeux couleur d'ange, un chignon défait. L'amour n'a pas d'amis. La peur non plus. Giulio tousse. Il se lève, frappe à la porte du docteur.

*

Il faisait si froid. La lune venait d'apparaître au-dessus du parc, pleine bientôt, levant une bise qui chassait de courtes ondées entre les rues et lui rappelait l'hiver et son enfance au lac d'Averne. Giulio soupira en sortant du cabinet. Tout, ces jours-ci, lui rappelait l'Averne. La moindre flaque, le moindre reflet d'eau lui rappelait l'Averne.

L'avenue des Flandres et la place Bénicroix

luisaient d'humidité. Il traversa le centre ville, s'obligea à presser le pas, à garder les yeux rivés sur la bordure du trottoir, à ignorer le salut des commerçants, à ne penser à rien d'autre qu'à Hélène Vallier, l'institutrice du Sonnant, qui inclinait la nuque avec une grâce bouleversante.

Autrefois, pour lui, les événements trouvaient leur place dans le creuset du volcan des morts, et y tenaient un rôle. Les jours étaient plus faciles. Tout semblait ordonné. Il n'y avait pas de ville humide, pas d'illuminations, surtout pas cette lune glaciale qui force les souvenirs. Rien que des mythes, des hommes en pèlerinage dans le fameux cratère, et lui, tout seul, le Nocher. Le dernier passeur. Un climat parfait, jamais vraiment froid, jamais trop chaud. Naples, le centre du monde. Tout près, le lac d'Averne, la porte du monde. Quelques animaux sur le lac, et Agathe aux seins très blancs qui le suppliait de ne rien oublier, de faire son travail, d'apprendre. Apprendre.

Giulio eut une pensée pour le chien Caronte qui l'attendait à la maison, son chien bâtard, rescapé de l'Averne comme lui, à qui il avait inculqué tant de choses. Caronte lui avait rendu la mise, en quelque sorte. Une mise de chien : de la joie à qui mieux mieux, des nécessités chaque jour, des odeurs, un empressement de mâle, et, ce qui étonne en fin de compte, ce qui inquiète, cette manière de consentir à l'existence. Voilà ce qu'il faut savoir au début. Jamais d'autre dépit que le dépit d'amour. Les bêtes sont ainsi, elles reconnaissent la vie, elles reçoivent la vie. Pas de regret. Elles consentent à la vie. Giulio voulait précisément expliquer cela à Hélène Vallier, tout à l'heure chez le médecin. Il aurait dû, malgré Maurice Pichard et le grand poster flamboyant de la salle d'attente. Il a toussé entre ses doigts. Il n'a pas réussi. Les bêtes n'opposent à la vie que leur propre vie, pas même leurs dieux. Tout le contraire...

Il a quitté l'avenue des Flandres. Il a serré le col de son manteau. Il avait l'impression de fuir à nouveau. Giulio songea qu'il lui faudrait peut-être un jour cesser de fuir, et se rappeler l'Averne, et peut-être même tout expliquer aux autres. Ce travail se ferait en confiance. Contre l'épaule de quelqu'un, loin des autorités. Il regarda la rue. Les trottoirs luisaient. De nouveau il faisait froid. Les magasins brillaient fort.

Il s'arrêta devant la pharmacie Bouvet, sortit son ordonnance.

Là, au milieu de la vitrine, parmi les cannes, les prothèses et les ceintures orthopédiques, une jeune fille le regardait, une très belle ragazza avec des seins haut placés, des jambes somptueuses, l'ombre bombée du ventre qui surplombait la mer, un visage balayé par les embruns. Elle avait un sourire très candide et des cheveux tout autour, les cheveux fous des Italiennes du Sud, noir de jais. Derrière elle, la houle et ses rouleaux déchaînés prenaient d'assaut une sorte de môle en parpaings au bout duquel se dressait un phare. La scène baignait dans une lumière de fin du monde, d'équinoxe, de crépuscule interminable. La jetée et l'embase du lumignon luisaient de brisants. L'écume ruisselait de partout. La jeune fille paraissait garantie de ce déluge par une sorte de bénédiction immatérielle que la capote anglaise, tenue entre le pouce et l'index, était censée concrétiser. Hors la parade du latex, point de salut. Giulio fixa le velours de cette main tendue et se persuada que la gamine était encore vierge. Il émanait de son vague sourire une candeur insupportable, comme si l'enfer liquide derrière ses reins ne concernait en réalité que les badauds qui osaient lever les yeux sur elle, vers sa nudité propre. Giulio regarda autour de lui, se mit à loucher.

En bas, contre les cuirs et les nickels des prothèses, on lisait une note annonçant la gamme de coloris proposés à la clientèle : fluorescent, amarante, grenat, gris et naturel chair. Cette énumération le glaça. Il lui sembla que l'adolescente le suivait de ses longs yeux fendus et innocents jusqu'à l'intérieur même de l'officine. Giulio se retourna dans l'entrée et réalisa au tout dernier moment qu'une des jambes de la nymphette, arc-boutée sur une pile d'appontement, était dégainée à mi-cuisse, que sa jarretelle battait dans la tourmente, que son sourire n'était guère celui d'une enfant égarée, mais bien l'appel invariable de l'amour.

Il songea à l'institutrice. Il poussa la porte.

A l'évidence, mademoiselle Lagrange, la préparatrice de la pharmacie centrale du Sonnant, respirait une odeur d'un autre genre ; elle incitait plutôt au sexe discret, savonné, à la confidence bourgeoise. Une femme chasse l'autre. Celle-ci étalait avec bonheur sa quarantaine boulotte derrière un petit comptoir impeccable, reluisant, parfaitement lisse et aseptisé, d'où elle lorgnait à intervalles réguliers la patronne. Giulio nota ces œillades qui hachaient son babillage sans même qu'elle en eût conscience. Il ressentit la peur furtive de tout à l'heure, chez le docteur Touraine, et soudain ce personnage rose et bien en chair lui devint extraordinairement sympathique. Il se mit à siffloter. La dame était du même monde que lui, probablement à l'affût du moindre encouragement, fautive et embarrassée de vivre. Il les repérait à la seconde, ces êtres coupables d'exister. Il les collectionnait. Chaque jour il rajoutait quelques élus à sa grande compagnie de fautifs. Même Maurice Pichard, honteux de balader son gros ventre, même bientôt l'institutrice. La honte est une affaire de pauvres. Avant, il n'y avait pas de pauvres, que des savants, des latinistes, des animaux de mythologie et parfois, aussi bien, des putes.

Mademoiselle Lagrange se pencha vers lui en remuant un bouquet d'odeurs impossibles : tisane, réglisse, citronnelle, un relent de pansement, de sparadrap, et puis, liant le tout, une espèce d'odeur plutôt masculine, coupée d'after-shave. Giulio sourit. Les médicaments du docteur Touraine lui mettaient les sens à vif. Il enregistra cette odeur mal accordée, ce parfum de barbe, d'homme au bain, et se dit qu'il touchait peut-être ici à l'essentiel. La dame honteuse restait comme chacun tapie dans sa boîte humaine, mais elle résistait à sa manière. Sucré, salé. Un bonbon anglais. Elle devait être embarrassée de sa propre audace. En fait, elle défiait le monde. Elle se musquait la peau avec du parfum de mec.

Giulio oublia Hélène Vallier et la fille de l'affiche dans la vitrine, oublia même son chien Caronte qui l'attendait à la maison. Il osa un sourire attendri derrière la manche. Madame Bouvet, la pharmacienne, surgit à l'instant entre deux rangées de placards et regarda le couple. Giulio inclina la tête. La préparatrice reprit nerveusement ses clins d'œil et déplia l'ordonnance.

Giulio s'amusa encore un peu, agacé par cette odeur de plantes, de chevalier barbu, éprouvant quelque chose comme du bonheur. Il devinait tout avec une telle allégresse, une telle vivacité... Le monde entier pouvait se réduire à de telles intuitions au quotidien, des écarts minuscules... La jalousie de madame Bouvet, par exemple, si manifeste sous ses airs patriciens; ou bien la gratitude de la préparatrice qui, sondée au cœur, mais sans moquerie, sans critique, récoltait de la part de Giulio une estime bien réelle, connue d'eux seuls; ou encore le sourire de la ragazza de l'affiche, moins effronté qu'il y paraissait... Intuition pour intuition, elle, la petite pute, s'accordait plutôt au poster de la salle d'attente, avec ses lumières et ses sommets, sa grotte impeccable, ses longs glaciers blafards comme des seins. Giulio sourit. Dans l'Averne d'autrefois, Agathe confondait les savants. Quand elle montrait ses seins, c'était un savoir clair qu'elle dévoilait. Et un seul écart qu'elle proposait, le grand. Devant cet écart-là, tout le monde se mettait à bégayer.

L'employée se tut au premier coup d'œil jeté sur l'ordonnance. Elle fit un signe à madame Bouvet. Madame Bouvet s'avança. Le charme se rompit aussitôt. Giulio écouta sans broncher les conseils et recommandations de la pharmacienne. Madame Bouvet lui parlait doucement, comme à un enfant, et termina en le mettant en garde contre les risques de somnolence et de troubles de l'équilibre liés à l'absorption des produits qu'on lui avait prescrits.

Puis elle tourna la tête vers l'entrée et désigna son poignet. Le couvreur aperçut sa petite montre élégante. Il était tard, en effet. Il se pencha vers la dame qui sentait l'homme et sortit son portefeuille.

« Vous aurez bien une seconde, monsieur Ferratti, n'est-ce pas ! lui dit la patronne sur un tout autre ton. J'ai quelque chose pour vous. Venez, je vais vous expliquer. Entrez dans mon bureau... »

Giulio la suivit de mauvaise grâce.

« Voilà, vous connaissez le problème des maisons, reprit la pharmacienne. Vous devinez mon embarras. Il y a toujours des bricoles, des petits travaux, des choses qui traînent... Et mon mari ne sait rien faire de ses dix doigts !... Alors j'ai pensé à vous, Giulio. Peut-être que le dimanche, le week-end, en vous payant de la main à la main... C'est plus simple ainsi, n'est-ce pas ? Cela arrange tout le monde. Vous me rendrez bien ce service... Adroit comme vous l'êtes, deux ou trois matinées devraient suffire amplement. Et puis, si cela dépasse, nous verrons bien. Je peux compter sur vous ? »

Giulio eut la présence d'esprit de se mettre à bafouiller et de paraître confus. Il hésita, chercha ses mots, sourit niaisement, puis reporta d'un coup son attention sur la personne de la grosse préparatrice. Mademoiselle Lagrange en fut tout attendrie. Giulio balbutia des excuses, paya le médicament et sortit les yeux baissés, sans une parole pour madame Bouvet, sans un regard pour la nymphette de l'affiche qui l'attendait dans la vitrine.

Des bricoles au noir... Il traversa l'avenue en maugréant, rejoignit sa rue, la rue Daurand, et faillit bien lancer là, avant la place Bénicroix, en direction de la pharmacie Bouvet, son grand sifflement. Il cracha sur le goudron puis, sans transition, s'imagina nu, totalement nu, dressé comme un héros du Bernin sur le môle de la petite pute de l'affiche. Giulio ricana en pleine rue. Il fit un bras d'honneur à l'obscurité, un bras d'honneur à la mer en furie de l'affiche, à la ragazza qui ne l'assiégerait jamais de sa nudité souveraine, un autre à la bise glaciale, puis, fatigué, ferma les yeux et pressa le pas.

Il trébucha en arrivant. Il traversa péniblement le jardinet, dut se tenir à la barrière, à la main courante de l'escalier. Son chien Caronte l'entendit sitôt franchies les marches de l'entresol et se mit à gratter, à griffer la clenche de la porte d'entrée. Giulio détestait ces manières de bête d'appartement. Arrivé à l'étage il poussa le battant et cueillit l'animal d'un revers de savate. Il referma la porte, tomba dans le premier fauteuil en toussant comme il l'avait fait chez le docteur Touraine. Aussitôt Caronte se mit à pleurnicher sous la bonnetière, avec un sens de l'à-propos et une compassion irrésistibles. Le couvreur lui sourit. Le chien revint alors très prudemment à ses côtés, roulant des yeux torves.

Giulio somnola en regardant son chien. Jamais l'animal ne pourrait babiller ni cligner de l'œil comme la préparatrice de la pharmacie Bouvet. Le chien Caronte attendait un geste, anticipait le moindre déplacement. A la première réaction, il semblait heureux. Giulio se leva pour contrôler. Caronte se dressa sur ses pattes. Giulio ouvrit le placard et sortit la boîte de pâtée. Caronte le suivit en salivant. Giulio retomba sur son siège. L'autre se rassit tristement. Giulio pensa au poster montagnard, aux mélèzes, à la grotte, à l'institutrice. Ici, le chien ferma les yeux.

Parmi les sentiments qui envahirent son maître, parmi le flux d'impressions qui dérivaient autour de lui dans la pièce, il y avait une certitude : quoi qu'il advînt, le chien Caronte ne pourrait jamais non plus se parfumer. Un chien ne se parfume pas. Un chien n'a aucun besoin d'être remarquable. Il est penché pour toujours, il est tourné de nature vers qui de droit, éternellement tourné. Ainsi les chiens, ainsi parfois les maîtres et les héros, songea Ferratti avec une grimace.

« Les héros se retournent derrière eux comme des chiens, lui chuchotait Agathe, la belle pute aux seins blancs. Ils veillent nuit et jour, ils attendent mois après mois les signes de leur destin. Ne te retourne pas, Giulio. Réserve ce guet pour nous, les femmes. Ou pour l'argent, si tu préfères, ou pour le pouvoir. Un destin comme le tien ne mérite pas une heure de veille. Pas de consentement, Giulio. Tu es le Nocher. Cela suffit ! »

Il avait obéi.

Naples et le lac des morts sombraient sans lui

dans la ronde du love-parking. Il avait fui, il était parti sans se retourner, ne songeant à rien, occupé seulement de sa venue ici, du nouveau travail, de la clientèle. Maintenant, une femme le chamboulait. Et les médicaments du docteur le chamboulaient davantage. Il valait mieux ne plus penser à rien. Giulio voulut tenter son grand sifflet, éprouver comme jadis l'ordre des nochers. Il glissa ses deux index entre les lèvres. Le résultat fut si médiocre que Caronte grogna sous la table, désappointé. Alors Giulio accepta de lui frotter l'échine à rebrousse-poil, de lui tapoter le front entre les oreilles, privauté dont le bâtard raffolait et qui rendait un son creux, mat, comme sorti d'une boîte vide.

2

Le lendemain, il faisait un temps radieux.

Après avoir franchi le pont et la place centrale, l'avenue des Flandres descendait au parc et redevenait la rue tranquille de ses débuts, une petite artère bordée de platanes, d'habitations cossues. Ici, au terme de la ville, chaque demeure revendiquait son histoire. Les perrons menaient une vie étrange, concurrente, d'un autre temps. Balustres et colonnettes rivalisaient de fantaisie bourgeoise jusque sur les trottoirs. En fin de jour, lorsque le soleil inondait l'avenue, les entrées de toutes ces bâtisses composaient un alignement d'ouvrages illuminés, courts sur pattes, flanqués de deux volées de marches et de pilastres assez ringards qui enchantaient les enfants des écoles.

Hélène Vallier avait édicté une règle concernant les balustres de l'avenue des Flandres : sa classe devait emprunter le trottoir de gauche pour aller au parc et revenir par celui de droite, avec interdiction de monter les escaliers et a fortiori d'ouvrir les réduits à bois sous les perrons. Les élèves ne pouvaient toucher qu'aux pilastres du bas, l'un après l'autre, et seulement en comptant à voix haute.

Ce jeu codé convenait à tout le monde. La petite classe défilait le mardi sur l'avenue en frôlant, caressant, comparant, dénombrant les balustres. La maîtresse elle-même, en queue de cortège, participait furtivement à l'aventure. C'était un vrai bonheur de toucher ces rondeurs de pierre polie. Hélène en connaissait le renflement, le grain, la patine. Elle aurait pu dessiner sans peine les motifs des perrons, probablement imaginés par ce sculpteur, Rodier, qui avait remodelé le quartier des Flandres au milieu du dix-huitième siècle. De Rodier on ne savait plus rien. Hélène Vallier avait découvert sa griffe deux années plus tôt, par hasard, alors qu'elle réprimandait un élève. Glissant sa main sous une rambarde, elle avait retrouvé le paraphe, un trapèze en ronde bosse, blasonné, surmonté du trèfle de compagnonnage. Ce fut un événement pour elle seule. La balade dans les balustres de l'avenue des Flandres était restée une affaire de petits. Elle n'en avait jamais parlé.

Après le blason Rodier, les maisons s'espaçaient. L'alignement des perrons se coupait de garages, de remises, de jardinets. L'avenue butait cent mètres plus loin sur le parc et les grands bois.

Hélène libéra sa classe à l'entrée du parc, laissa les enfants se disperser. Elle fit quelques mètres vers le kiosque. Elle s'installa devant l'escalier, tête nue sous le premier vrai soleil de l'année. Il faisait chaud. Elle relâcha son chignon, secoua le visage, laissa filer sa chevelure.

Un étourdissement diffus la gagnait. Le printemps était de nouveau là. Pour elle, c'était une saison mal définie : trop de vitalité, d'impudeur, trop de babils dans les arbres. Elle gravit les marches du kiosque. La chaleur l'oppressait. Elle fut prise d'une sorte de vacillation visuelle qui l'obligea à quitter des yeux le fuseau argenté de l'avenue des Flandres, à laisser les perrons à leur place. Elle vit à peine la camionnette de Giulio Ferratti surgissant dans un brasillement de lumières. Le parc resplendissait. Le barrage et le lac artificiel au-dessous étaient nimbés de brumes. Hélène soupira. C'était la fin de l'hiver. Elle regarda le véhicule descendre l'allée des Nobles, puis stopper bruyamment devant la grille de ce petit pavillon que tous, au Sonnant, sans trop savoir pourquoi, appelaient Baronnet.

On l'avait avertie récemment du chantier. Le toit du Baronnet allait être refait. Ou démoli. Les autorités de la ville lui avaient conseillé d'annuler la promenade des classes enfantines. Elle s'avança.

Le soleil jouait très librement sur la toiture d'ardoises. Hélène vit deux ou trois lézardes autour de la porte, plus haut des tuiles décalées, les motifs vernissés interrompus par endroits. La charpente apparaissait près du faîtage, dévoilant son treillis grisâtre. Plus loin, on distinguait le trou de l'ancienne cheminée. C'est là que pointa soudain la casquette du couvreur.

Cette apparition très poussiéreuse au milieu des ornements de tuiles la déconcerta au point qu'elle recula pour s'asseoir. Giulio Ferratti ne s'aperçut de rien. Il se mettait au travail. Il jeta tout juste un coup d'œil sur l'esplanade où était garée la camionnette, un autre sur le théâtre de verdure qui entourait le Baronnet. Plus loin, entre les grands bois, on devinait la trouée du lac artificiel. Un lac mérite qu'on le salue. Le couvreur le salua comme il saluait tous les autres lacs, avec ardeur et respect. Puis il entreprit de découvrir la toiture. Hélène ne comprit rien à cette cérémonie. Intriguée, elle revint sur le parvis du Baronnet. Giulio travaillait de l'autre côté. Il ne la vit pas.

Le couvreur allait vite. Les brèches qu'il pratiquait dans la couverture multicolore du pavillon avaient quelque chose d'affligeant. Il sapait d'un coup la magnificence du Baronnet. Il ouvrait la toiture, encombrait ses trouées de gravats. Hélène regarda s'étioler ce lieu qui divisait depuis des lustres les habitants de la ville. L'autre travaillait sans un mot, avec une détermination et une rapidité de bête aux abois. Elle appela ses enfants, les installa autour d'elle pour observer, étudier les gestes du maçon. Elle savait que le maire du Sonnant comptait profiter des travaux pour mettre fin à une vieille polémique. La dépose du toit sonnerait le glas du bâtiment lui-même. Les riverains de l'avenue des Flandres réclamaient depuis longtemps la destruction de ce petit édifice de briques, arguant que c'était un lieu mal famé, disgracieux, au style tapageur. En face campaient les défenseurs du Baronnet, ceux qui s'étaient retrouvés un jour ou l'autre sous son toit multicolore, qui s'étaient aimés derrière le balcon baroque, à l'abri des murs crépis de rouge. Ceux-là clamaient que la ville du Sonnant ne pouvait se passer du vieux Baronnet débonnaire, au goût douteux, qui affichait son gros ventre, son chapeau de cirque, ses quatre volets ajourés de petits cœurs ridicules.

Les enfants s'installèrent dans les prés alentour comme ils le faisaient le week-end, et observèrent Giulio Ferratti dans le plus grand silence. La plupart étaient tristes. Une demi-heure passa, puis Hélène, qui craignait de gêner, préféra ramener son groupe jusqu'aux bacs à sable. Au moment de rebrousser chemin, l'un des écoliers fila entre ses camarades et jeta deux gros champignons contre les vitres de la camionnette. Les projectiles s'écrasèrent comme souhaité, libérant une multitude de sporanges qui brunirent immédiatement le pare-brise et provoquèrent à l'intérieur une réaction des plus violentes. Le chien Caronte se réveilla en sursaut, bondit sur ses pattes, aperçut tous ces visages qui le narguaient et se mit à aboyer. Il laboura l'intérieur du véhicule. La portière arrière faillit s'ouvrir.

Hélène vit le couvreur se relever sur son toit, chalouper entre les tuiles et les planches, se dresser soudain, puis, après un coup d'œil en bas, cracher dans ses mains et lancer vers le barrage un sifflement d'une extraordinaire puissance. La stridence cingla le Baronnet. L'écho rebondit trois fois dans la vallée. Tous se figèrent sur place, chien y compris. Caronte eut comme un gémissement, puis rampa sous son siège. Il ne s'occupa plus du tout des écoliers. Il préféra se terrer peu à peu dans les profondeurs du véhicule.

Hélène avança jusqu'au terre-plein. Ses oreilles sifflaient. Elle resta un moment sous le pavillon sans oser parler. Ferratti avait repris son travail. On l'entendait marcher sur le toit. Les ardoises tintaient à nouveau. Elle songea à la vaisselle du salon, aux vitres de sa cuisine proprette, aux meubles vernis de la salle à manger qu'elle n'aérait presque plus.

Une brise traversa la combe, secoua les fleurs qui tapissaient les alentours du pavillon. Le parfum de narcisse se mélangea aux relents de poussière et de gravats. Hélène toussa, chassa une mèche de son front, fit reculer les enfants. Sa coiffure lui pesait. Elle arrangea ses cheveux qu'elle nattait chaque matin mais qui, malgré tout, s'échappaient d'heure en heure, jusqu'à lui manger les pommettes en fin d'après-midi. La lumière du soir la rajeunissait. Elle le savait. Elle oublia pour un temps le couvreur et partit se regarder dans les fenêtres du Baronnet. Elle écarta du doigt les volets, caressa les deux petits amours de l'entrée, jeta un long regard dans la vitre. Elle leva la tête vers la toiture où sonnaient les pas de Giulio. Sa chevelure s'échappa davantage. Elle poussa une exclamation, puis s'appuya à la porte d'entrée qui se dégondait. Elle réajusta son chignon en ployant la nuque. Les mèches fusaient en tous sens. Ses cheveux vivaient indépendamment d'elle, joyeusement, avec une sorte de liberté indécente.

Elle reprit ses va-et-vient entre l'esplanade du Baronnet et le théâtre de verdure où les enfants de l'école, silencieux, semblaient fomenter un nouveau mauvais coup. Ils s'étaient regroupés sous le bosquet d'érables. Derrière le bosquet, on voyait l'hospice. On devinait les rangées de balcons entre les branches. Hélène se sentit coupable. Elle envoya un baiser à sa mère qu'elle n'avait pas visitée depuis trois jours. Elle se reprochait cette négligence. Mais elle fut à nouveau distraite par la lumière, par cette vacillation dorée, duveteuse, qui la poursuivait depuis le début de l'après-midi. Elle s'assit, contempla le petit val herbu qui faisait face au pavillon. Ferratti revint de son côté et lui fit un salut avec sa casquette, un petit signe emprunté, comme fautif. Avant de remonter, elle le salua aussi. Elle demanda comment il allait.

*

« Tout va bien ? demanda l'infirmière par l'entrebâillement de la porte.

– Ça va, ça va… Quel jour est-on, mademoiselle ?

– Mardi après-midi.

– Du mois d'avril ?

– Mardi 10 avril, madame Vallier.

– Alors, vous seriez bien aimable de me tourner vers le parc. Je devrais apercevoir les narcisses. Sont-ils déjà sortis ?

– Je ne sais pas. »

L'infirmière s'approcha du lit et déplaça la vieille en maugréant. L'autre la remercia d'un cillement d'yeux.

« Vous êtes trop jeune. Vous ne les guettez pas. Pourtant ils dégagent chaque printemps une odeur de vie magnifique. Ils nous inondent de parfum… Auriez-vous la gentillesse d'appeler ma fille, mademoiselle ? Elle est institutrice à l'école. Je voudrais lui parler. Je me sens lasse. »

L'infirmière inclina la tête, ferma la porte, laissa Raymonde Vallier baisser les paupières.

Raymonde cherche dans le tiroir de sa table de nuit. Presque aussitôt sa main retombe sur le drap, fatiguée. Le miroir attendra, les cheveux aussi, peut-être même les narcisses. Elle soupire et considère sans la moindre complaisance cette attente, sorte de réclusion aseptisée qui, depuis peu, lui semble amère comme une vieille infusion. Malgré sa fatigue, malgré les dérobades de sa mémoire, madame Vallier se souvient très bien de ces médecines dépuratives, ces décoctions au sel qu'on administrait jadis, certains soirs de beuverie. Elle lève les sourcils. Il ne faut pas songer aux hommes. Jamais se disperser. Très simples, donc, les cheveux. Sans chignon, sans bandeau, quelques mèches ramenées en collerette, sagement, pour mettre en valeur la dernière décennie. Puis elle sursaute.

Le grand sifflet de Giulio vient d'ébranler l'air du parc. Raymonde Vallier tremblote. Elle laisse là ses soucis domestiques. Seul un homme peut siffler pareillement. Elle ferme les yeux, elle ferme les mains. Elle se remémore les paroles du docteur Touraine, une théorie bizarre. C'était il y a longtemps. Jacques, son mari, vivait encore. Hélène était là aussi, adolescente, fluette, très timide.

Raymonde plisse les yeux, laisse sa toilette. Elle se souvient.

Le docteur avait bu et, comme souvent dans ces cas-là, il ne pouvait se retenir de pérorer. Il faisait la leçon. On venait de démontrer que les embryons, en tout cas les embryons mâles, les rejetons de sexe fort, avaient l'obligation de repousser *in utero* un état féminin primitif, originel, résolument nécessaire à leur différenciation sexuelle. Les futurs petits hommes étaient tenus de frôler en premier lieu l'essence même de la femme, de se fondre dans l'alter ego, en quelque sorte, jusqu'à ce que le flux masculin contenu dans leurs gènes survienne et leur consente un sexe anatomique. A écouter Pierre Touraine, chaque individu mâle avait ainsi connu la nature profonde de la femme peu après sa conception, au cours de sa troisième semaine de vie. Le raphé (Raymonde baissa les yeux et tira sur son drap), cette liaison épidermique entre testicules et anus, n'était en fait qu'une vulve refermée, les séquelles de la poussée féminisante initiale, les scories d'un savoir fortement renié par les mâles. Ce tout premier dévolu leur conférerait une puissance vitale, une réserve de force physique considérable, en même temps qu'une infinie fragilité. Avant de quitter ce monde, disait le docteur, les hommes devraient tous rouvrir cette fenêtre anatomique close dès les premiers assauts de l'existence. Ainsi expliquait-il pourquoi les gens de son sexe achevaient en général leur vie moins sereinement que les femmes. Ils avaient peur de se rouvrir.

La petite Hélène Vallier s'était désintéressée de cette conversation. A un moment, elle était même partie dans l'autre pièce faire la vaisselle. Le docteur avait alors stoppé net sa conférence pour s'excuser.

Madame Vallier pose les mains sur son abdomen. Pour chasser les souvenirs, il suffit de ranger. Raymonde n'a pas envie de ranger. Elle préfère somnoler. A présent, elle regarde ses mains. Les mains, le visage, la literie. Elle tire le drap, ordonne le maigre renflement de son corps au centre du lit, arrange la couverture, lisse le nom imprimé de l'hospice, puis replie ses bras à plat sur sa poitrine. Le chapelet est à vingt centimètres, près du verre d'eau, sur la table de chevet. Il fait chaud, très doux. Dehors ce doit être le printemps. Elle réfléchit. Ces signaux, tant de signaux au même moment ne trompent guère. La toilette, par exemple... plus longue et plus soignée ce matin, constamment brouillée de réminiscences.

La toilette, surtout au moment de la naissance d'Hélène... Elle revoit les précautions du médecin. Pourtant, l'enfant paraissait à terme, forçant son crâne en un rien de temps. A peine deux heures de travail. Raymonde se rappelle cette lave dans sa chair avec une précision qui l'ébranle. Elle avait failli perdre connaissance, puis elle avait ri, puis elle avait pleuré en découvrant Hélène repliée comme une main sur son ventre, collante, contractée, qui avalait ses goulées d'air.

A l'hospice, ici, au Sonnant, les respirations sont incertaines. Laminées, les respirations, peu douloureuses, seulement petites, irrégulières, suivies de rien. Ce vide-là, cette incertitude que la litanie de souvenirs jugule mal, cette éviction pourrait l'immobiliser et devenir terrifiante. Ainsi certains silences d'enfants à l'école, jadis, des silences installés aux premiers jours de classe, souverains, butés. Ce genre d'élèves restaient campés des mois dans un mutisme qui imprégnait peu à peu leurs voisins. Raymonde comprend maintenant. Ils avaient raison. Elle sait qu'ils avaient raison. Ils suppliaient les autres. Sans concession à la peur, le silence devient prière.

Elle ouvre le tiroir de la table de nuit, tire un portefeuille.

« Cuir de Romans… Cuir de Romans véritable. Hongroyé… »

Elle le manœuvre, le tripote, le repousse. Sa lèvre du bas l'irrite. Cette litanie de souvenirs et de misères l'irrite. Hongroyée aussi, la vieille, traitée au sel, à l'alun, attaquée de l'intérieur… C'est peut-être ainsi, souple, obéissante comme un cuir de vieux sac, qu'elle finira. Pas de douleur, une vanne bloquée dans la poitrine, les volets soudain ouverts. Tout s'écoule d'un jet, fuse au grand galop. Raymonde a envie d'aller à la selle. Depuis peu son ventre s'est mis à vivre à l'improviste, comme une chose autonome, éloignée d'elle, un récipient imprévisible qu'il faut bander à tout moment. Seulement ses muscles lâchent aussi. Le cuir se distend, s'effiloche. Hongroyée. Elle renonce.

La pensée qui la traverse tandis qu'on change ses draps est que l'infirmière devine absolument ce qui va se passer. Et trop bien. L'infirmière la nettoie brutalement, la retourne avec la rapidité écœurante de qui ne croit plus à l'utilité de son travail. Elle la couche sans ménagement. Raymonde, aussitôt, rêve d'une photographie de Jacques, son mari, très lisse, très fraîche, glacée des deux côtés, qu'elle se glisserait lentement sur le front. Elle rêve aussi des joues des enfants en hiver, si rouges, si fermes. Les enfants qui ne parlaient pas, qu'elle ne caressait jamais assez longtemps devant le gros poêle. Elle rêve de la récréation sous la neige. Elle s'assoupit lentement, sans même réaliser qu'on la change de chambre et d'étage.

Dehors, un immense sifflet ébranle l'air du parc. Elle tressaute dans son demi-sommeil.

*

L'herbe était abondante, grasse, vigoureuse, les narcisses perçaient de toutes parts. Hélène s'accroupit au milieu du parterre de fleurs. L'ouvrier venait d'arrêter son travail. On l'entendit tousser. Passa un long silence.

Le toit à demi éventré luisait dans la lumière d'après-midi. Hélène savait que le petit bâtiment controversé ne se pavanerait plus longtemps à l'orée des grands bois, que l'allée des Nobles venait de s'éteindre. Toute la nostalgie du Sonnant se concentrait là, près du carré de narcisses que la brise du soir remuait et que l'institutrice foulait distraitement. Elle chantonna. On entendit une mobylette à l'entrée du parc, quelqu'un venait. Elle ne s'en inquiéta pas. Elle ramassa ses fleurs. Son esprit arpentait les couloirs de l'hospice. Elle se promit de porter les narcisses à sa mère dès la sortie des classes. Elle lui offrirait le plus odorant, le plus frais, le plus printanier des bouquets… Elle lui parlerait à mi-voix du destin du petit pavillon… Elle lui parlerait des senteurs qui embaument le val à la tombée du jour, de ce printemps qui se manifeste par bouffées, de cet homme sans regard en train de démolir le Baronnet.

L'institutrice fit quelques pas dans l'allée. Là-haut, Maurice Pichard, le garçon boucher, parlait aux enfants. Il tenait sa mobylette à la main. Elle gravit la pente, traversa le pré. Les petits ne soufflaient mot. Pichard tordit ses doigts un moment devant elle, puis annonça que sa mère était soudain malade. Hélène renvoya la classe plus haut. Seule en face de Pichard, elle lui confia la brassée de narcisses. Elle exigea qu'il les porte aussitôt. Elle insista. Le gros boucher devait annoncer sa venue immédiate. Maurice partit sans discuter. Il démarra dans la descente.

Hélène Vallier rassemblait les enfants. Elle entendit le bruit de la mobylette décroître. Elle voulut tout de même cueillir d'autres fleurs, très vite, pour elle, pour son bureau. Elle fit quelques pas, s'agenouilla n'importe où. L'odeur était souveraine.

Soudain, elle bondit en arrière. L'horrible sifflet de Ferratti cinglait à nouveau la combe. Elle trébucha, frémit de la tête aux pieds. Le coup de semonce de Ferratti percuta le terre-plein. Elle pivota vers les érables. Les enfants accouraient, formaient un cercle silencieux dans le tournant de l'esplanade, fascinés par l'artisan qui, les doigts dans la bouche, s'approchait d'Hélène Vallier en menaçant de siffler encore. L'homme baissa la tête au dernier moment, gonfla les lèvres, joignit ses doigts, fixa les graviers. La nouvelle stridence déchira l'air du parc avec une brutalité inouïe. L'institutrice fit un bond en arrière. Les enfants se bouchèrent les oreilles.

Ferratti se mit à gémir. Hélène, qui rebroussait chemin vers ses protégés, crut qu'il perdait la tête. Elle l'avait vu, la veille, dans le cabinet du docteur Touraine, fixer le grand poster montagnard. Il valait mieux l'aider, peut-être le conduire chez lui. Elle n'avait pas peur. Elle regarda l'artisan en serrant contre elle la brassée de narcisses. Le couvreur s'approcha, effleura du doigt les mèches de l'institutrice, toucha son front, frôla ses mains qui brandissaient les fleurs comme un bouclier. Puis il fit une grimace pitoyable et, sans qu'elle ait pu ébaucher le moindre geste, lui saisit le bras. Il la tira sans ménagement vers la camionnette. Hélène résista comme elle put, se débattit, mais n'osa crier. Les enfants ne les quittaient pas des yeux.

L'homme la traîna sur une vingtaine de mètres, puis desserra soudain son étreinte aux abords du véhicule. Il ouvrit les mains. Il la lâcha, l'abandonna aussi vite qu'il l'avait prise. Après quoi, il bredouilla quelques mots en italien. Il semblait atterré. Il bredouilla aussi d'autres excuses en français. Le chien Caronte, prisonnier dans la camionnette, guettait son maître depuis le milieu de l'après-midi. Il se mit à japper.

« Lâchez ces fleurs… dit Giulio en se retournant. Ne conservez pas ce bouquet. »

L'institutrice reculait peu à peu vers les enfants. L'artisan s'en rendit compte. Il marcha à son tour jusqu'à Hélène, malheureux, cassé en avant.

« Que voulez-vous ? »

L'artisan haussa les épaules. Caronte les vit passer devant lui l'un après l'autre et aboya plus vigoureusement. Giulio Ferratti glissa aussitôt les index dans ses lèvres mais, devant les yeux effarés de l'institutrice, se ravisa. Il ramena la femme dans l'allée, tira sa casquette puis, les yeux dans le vague, annonça qu'il l'aimait.

Elle eut un sourire indéfinissable.

3

« Comment la lumière bouge-t-elle dans cet hospice ?... » murmura la vieille en émergeant du sommeil.

Soudain, alors qu'elle essayait d'attraper son verre d'eau, trois bonheurs lui encombrèrent l'esprit, trois plaisirs d'une telle vivacité qu'elle dut se soulever et rester un long moment sur ses coudes, les sens aux aguets. La sieste lui avait redonné du nerf. Elle réussit à maintenir cette position inconfortable, puis baissa les yeux et fut prise d'une petite quinte de toux qui la rejeta sur la taie d'oreiller.

Elle était seule. Elle n'avait plus de voisin. Elle se trouvait dans une nouvelle chambre, un peu plus étroite que l'ancienne, plus lumineuse, qui dominait largement le parc. A contempler le bosquet d'érables par la fenêtre, elle pensa avoir gagné au moins trois étages, probablement un petit quart d'heure de lumière en fin de journée. Ces nouveautés la comblaient. Elle tremblotait doucement sous la couverture. Bientôt sa lèvre inférieure recommença ses fantaisies. La vieille dame serra les dents, lutta quelques secondes contre cette débilité agaçante, puis dut plaquer la main sur sa bouche, étouffant les premiers mots du cantique d'action de grâces qui s'y pressaient, sortis comme par réflexe d'une mémoire que cinquante années d'enseignement public et de laïcité fervente n'avaient à l'évidence pas réussi à brider.

Raymonde choisit de laisser vivre le cantique. Toute sa petite enfance caracolait autour du lit. Aux décennies de luttes républicaines qui l'accablèrent alors de leurs reproches, elle répondit avec une afféterie de bienheureuse que la mort avait également ses droits. D'ailleurs, elle ne reniait rien. Elle ouvrait de vieux sacs.

Le deuxième bonheur était tout entier concentré sur le plateau de la table de nuit, dans un vase en pâte de Murano que l'infirmière avait rempli d'une énorme brassée de narcisses. Les fleurs venaient juste d'être cueillies, probablement dans le parc. Elles avaient le teint vif. Elles ruisselaient de parfum. Il sembla à Raymonde que les effluves du bouquet se séparaient comme de l'eau autour de son lit, les uns glissant vers le sol, vers la porte, les autres lui inondant la chevelure et la nuque. Une telle délicatesse, une telle bonté interdisaient qu'elle retombât dans la mauvaise léthargie de tout à l'heure. Elle rendit grâces à nouveau, elle sourit en direction de la fenêtre où les faîtes des érables remuaient doucement, bruissaient dans le soleil.

Le troisième bonheur prenait racine dans l'assurance qu'elle avait d'en avoir fini, et sans le moindre doute, cette fois-ci, et sans un regret. Le vieux bourdon de son enfance était revenu l'assiéger, moins douloureusement qu'à l'époque des otites, mais tapi exactement de la même façon qu'autrefois, derrière le tympan, derrière les oreilles et le front… La vibration avait recouvré sa place, plus lancinante que jamais. Madame Vallier essaya, ainsi qu'elle l'avait fait pour le cantique, de se concentrer sur ce bruit. Elle écouta avec la plus grande attention. Le son doubla aussitôt de volume, doubla comme jadis, menaçant de lui emporter les tempes. Elle baissa les yeux vers le bouquet de narcisses. Le bourdonnement s'inclina. La mort gîtait.

Raymonde aurait pu la sentir s'arc-bouter dans la pièce. Elle ne le désirait pas. Le soir tombait. Derrière le noir attentif de sa propre nuit glissait l'obscurité d'une fin de journée ordinaire. On était en avril. Les narcisses sortaient à profusion dans le parc. Madame Vallier voulut sonner. Elle y parvint à grand-peine mais, voyant l'infirmière surgir à la seconde, comme rivée à la porte, elle ne put proférer le moindre mot. Elle aurait voulu remercier pour les fleurs, réclamer sa fille encore une fois. Les paroles ne vinrent pas, refusées de l'intérieur. Sa bouche obéissait mal. Son ventre et ses jambes rendaient encore de la chaleur. Il fallait pourtant les abandonner là, dans le lit, et se concentrer sur le bruit. Les bruits assaillent en dernier lieu. Elle comprit que la mort est un son.

Elle ferma les yeux et éprouva quelques secondes d'angoisse pure à l'idée de ce qu'il adviendrait bientôt de ses lèvres, de sa langue, de ses gencives. Un seul orifice, une béance inéluctable. Elle se tassa dans le lit. L'infirmière la regardait en haussant les sourcils. Raymonde essaya de réitérer sa demande, cette fois avec les yeux, mais ne sut que gémir faiblement. La jeune infirmière eut une grimace et battit en retraite.

La lèvre inférieure de madame Vallier accusa étrangement le coup. Sa bouche se déroba, se débilita. Elle dut s'envoyer à deux reprises une gifle sur le visage, à grand bruit, pour que son corps se tînt tranquille. La fille de salle réapparut dans l'embrasure. Madame Vallier comprit qu'il fallait faire semblant de dormir. L'autre recula à pas feutrés dans le couloir, laissant la porte entrebâillée.

Raymonde connut la paix. La cloche qui l'enserrait semblait fondue d'un métal étrange, mat, dense, odoriférant, qui laissait filtrer par endroits la lumière du jour. Le vieux bourdonnement de son enfance ne cessait de rouler dans ce métal, installé comme un chat dans son domaine. La vieille se retint de somnoler, voulant composer encore une fois avec cet échantillon de minutes à sa disposition, ces mots imprononçables, ces chaleurs, ces respirations qui lui vidaient la gorge. Surtout, ne rien trahir. Songer à l'odeur magnifique, aux narcisses, à sa fille Hélène, aux petits d'autrefois. Prendre la photographie de Jacques au tout dernier moment, se la coller devant les yeux. Ne rien laisser aux vivants.

Elle tousse. Elle repense aux étranges théories du docteur Touraine sur l'ordre féminin primitif. Elle glisse les doigts vers son bas-ventre, vers la fenêtre humaine. Elle est surprise d'y trouver de la peau et des poils. Le bourdonnement augmente d'intensité.

*

Un homme en blouse franchit le portillon de l'hospice et traversa l'allée des Nobles. Il s'arrêta sur le terre-plein, devant la camionnette de Giulio Ferratti qui repartait. L'entretien dura quelques secondes. L'artisan sauta de son véhicule et chercha l'institutrice des yeux. Il la vit au sommet de la pente, entourée des enfants de la petite classe. Il lui fit un signe affligé, puis salua l'homme en blouse blanche et la rejoignit au pas de course. Hélène comprit à la seconde.

« Votre mère est au plus mal...

– J'arrive tout de suite. Je m'en doutais. »

Elle marqua un bref silence.

« Les enfants ont eu très peur du sifflet, vous savez. Très peur, Giulio... Et moi aussi, j'ai eu peur de vous.

– Revenez.

– J'ignore ce que vous voulez. Je dois aller voir ma mère. »

Le portillon du Baronnet était réservé au personnel de l'hôpital. Hélène dut longer la clôture sur cinq cents mètres avant de trouver un autre passage. Elle se cassa les ongles sur le vieux loquet rouillé, déchira son cardigan, traversa des jardins, pénétra en nage dans l'hospice. Elle se précipita jusqu'à l'ancienne chambre de sa mère, dut repartir trois étages plus haut. Enfin, arrivée au chevet de Raymonde, immergée soudain dans le silence, il lui fallut encore s'habituer à la pénombre avant de distinguer sa mère sur le lit, bras rangés le long du corps, paumes tournées vers le plafond, visage lointain, souriant, encadré des mèches grises qui se perdaient dans la batiste de l'oreiller.

Une infirmière venait de l'aborder dans le couloir. Elle l'avait prévenue. Sinon, elle aurait cru sa mère déjà morte. Hélène s'avança sur la pointe des pieds, posa sa brassée de narcisses à plat sur la table de nuit, contre l'autre bouquet, contre le vase en pâte de Murano.

Là, le bourdonnement qui oppressait Raymonde, cette fonte, ce métal sonore, lui devint soudain perceptible entre les murs de la chambre. Hélène frissonna, s'assit au pied du lit. Ses remords se diluèrent dans l'air confiné de la pièce ; elle ne pensa plus aux enfants de l'école, ni au Baronnet, ni au couvreur. Elle oublia les vivants.

Elle s'approcha du lit, dénoua le bas de sa

tresse, dégrafa quelques boutons de son corsage et se pencha, le souffle court, vers la malade que l'excès de parfums avait réveillée et qui, les yeux mi-clos, découvrait sa fille inclinée vers elle comme elle ne l'avait jamais été, sa beauté un peu lourde ruisselant dans l'obscurité.

Mêlés aux effluves et aux sons, Raymonde aima sans mesure cette gorge, le battoir de cette respiration, ces entrailles vives, cet air maîtrisé, conduit sans peine. Elle voulut parler, dire à sa fille de se méfier des otites, au moins lui expliquer que la mort est un son. Elle ne put desserrer les lèvres.

Hélène inclina le visage comme si elle comprenait, puis glissa sa main sous le drap et lui saisit les doigts, ces doigts dont Raymonde redécouvrait l'existence, mais si éloignés d'elle, si fragiles, si atones qu'elle faillit chavirer à nouveau par le puits de son ventre. Elle banda l'abdomen et évita de se souiller. Puis elle reprit pied dans le bourdonnement, dans le son, dans la cloche qui l'enserrait de toutes parts. Elle regarda sa fille.

Hélène était blanche et ronde comme la lune du Sonnant en été. Elle lui souriait, elle penchait son visage et semblait une boule de vie chaude, prête à rouler, à tanguer, à briser les étaux, à mimer longtemps le bonheur. En son temps,

Jacques, son mari, avait souri de la sorte. Raymonde comprit qu'un destin se scellait. Elle déplia les doigts sur le couvre-lit, prit une dernière inspiration qu'elle laissa filer entre les effluves généreux du bouquet, puis déposa d'un coup ce qui lui restait d'épaisseur et de poids entre les deux grands iris immobiles qui la fixaient à quelques centimètres.

Hélène cilla, reçut tout cela, puis baissa les yeux en avalant sa salive.

*

Le couvreur faisait les cent pas dans le couloir. Hélène sortit de la chambre et referma la porte.

« Les enfants sont tous rentrés, mademoiselle… lui dit-il sans oser s'approcher davantage.

– Ma mère vient de mourir. »

Il la regarda une seconde, puis lui proposa, avec une pointe d'accent, de la ramener chez elle, de s'occuper des démarches.

4

Le travail avançait. Parfois, il songeait à Hélène Vallier et se mordait les lèvres. Parfois il ne pensait à rien, ou bien il calculait le temps qui lui restait à passer ici, sur ce chantier du Baronnet que les autres avaient refusé, et cela le rendait heureux, fort, économe. Il regardait les bois, le barrage, le lac artificiel au-dessous, le vent poussiéreux qui tournait sur le terre-plein. Il avait l'impression de ne plus fuir, il se sentait chez lui. Madame Vallier était morte. Maintenant, ici, ce qui prévalait était l'odeur de paille, de gravats, de vieille planche, de crotte de mulot. Giulio aimait ces relents de démolition. Ils lui rappelaient la cabane Pisone, sur le lac d'Averne, Agathe et ses poules naines.

Parfois, il songeait à la petite pute de la vitrine de la pharmacie, dressée sur son môle, jambes ouvertes devant la mer, triomphante, menacée, qui brandissait au-dessus de l'horizon sa capote anglaise blême comme une hostie. Là, il fallait travailler sans regarder autour, empiler à grand bruit les tuiles multicolores, se méfier. Les stratégies des dieux ne s'arrêtent jamais complètement derrière soi. Giulio travaillait, il se retournait sans cesse.

Une journée passa. Le Baronnet perdit son reste de superbe. Ne resta bientôt plus que la poutraison. Plus rien de la charpente qu'une vague silhouette brouillée en plein ciel, encombrée de tasseaux et de chevrons. Giulio débarrassa ces bois, jeta tous les gravats. C'était un bonheur de voir les ardoises ébréchées filer une à une sous la corniche, bondir dans l'air puis s'émietter au sol bruyamment. Il descendit, rassembla les détritus devant la porte d'entrée. Le petit édifice du Sonnant, déjà décalotté, se trouva bientôt interdit d'accès sur le terre-plein par des amoncellements de madriers, de déchets, de résidus sans coloris ni âme.

Au crépuscule, alors que le froid revenait, Maurice Pichard parut au sommet de la combe avec son blouson et sa mobylette. La courbe de l'allée des Nobles suivait la pente la plus douce puis descendait dans les versants herbus. Le boucher s'y engagea en roue libre, freinant avec les pieds. Il gara la mobylette à côté du camion, sur le terre-plein, et leva le nez vers Giulio. La charpente se dressait bizarrement. Y officiait un acteur devenu morose, dans une sorte d'isolement obscur et silencieux. Le pavillon, privé de couvre-chef, pointait comme une tour ruinée au centre de cette scène d'ombres. Le soir venait. Pichard dénombra en silence les sections de murs émergeant de l'obscurité, les ardoises, les tas de matériaux. Giulio continuait de s'agiter dans le noir. Maurice l'appela. L'autre ne répondit pas.

Cette obstination devenait agaçante. Ferratti avait défiguré le Baronnet. Il devait maintenant en partir. Maurice n'appréciait guère qu'on méprisât ainsi les lieux. Il n'aimait pas non plus qu'on l'ignorât lui, Maurice Pichard, qu'on le laissât de côté. Parfois il avait en horreur les besogneux du genre de Giulio. Plus tous les donneurs de leçons... Il se mit à bougonner, se demandant ce qu'il fichait là.

« Monte, Pichard... Je t'entends râler d'ici ! lança soudain Ferratti depuis la corniche.

– Pendu !

– Je rassemble les gravats. Monte. Tu verras, on s'habitue à la pénombre.

– Je viens pour l'enterrement. »

Pichard assura l'échelle. Baronnet et grands bois se fondaient peu à peu dans le demi-jour. Il gravit les échelons. Giulio l'aida à prendre pied sur la toiture.

« Démolir ce pauvre Baronnet… dit le garçon. Tu n'aurais jamais dû accepter un chantier pareil. »

Giulio resta silencieux.

« Bon… continua Maurice. Pas un mot, j'ai compris. Tu as encore peur. Je vois bien que tu as peur. L'autre jour, chez le docteur Touraine, par exemple. Rebelote hier après-midi… Pourtant, j'aime venir te regarder.

– Et le boulot ? La boucherie ?

– Je m'arrange avec la boucherie… Toi, tu ne t'arranges pas. Jamais. C'est pour ça que j'aime venir te regarder. Tu te souviens, dans la salle d'attente, devant l'institutrice, quand tu t'es mis à tousser. Tu t'en souviens ?

– Je m'en souviens.

– Et alors quoi ?

– Alors, mon chien s'est énervé à cause d'elle. Hier avec les enfants qui tournaient autour de la camionnette. J'ai dû le calmer, lui parler tout le soir.

– Tu discutes avec les animaux, toi... Comme Luc Avelin avec son perroquet.

– Quel perroquet ?

– Moi je les découpe, les animaux. Enfin, j'essaie... J'apprends.

– Quel perroquet ?

– Trousse-galant. Le perroquet du maire. Son fils, quoi...

– Connais pas.

– En plus, vous vous ressemblez.

– Moi ?

– Oui, tous les deux. Et puis merde, Giulio, on pense les mêmes choses. »

Maurice Pichard descendit l'échelle. Il en avait assez de parler pour ne rien dire. A peine eut-il mis pied à terre que le couvreur recommença à décharger ses gravats. On n'y voyait presque rien. La poussière voltigeait dans tous les sens. Maurice partit récupérer sa mobylette en maugréant. Au passage, il envoya deux coups de latte sur le caisson de la camionnette qui luisait dans le noir. Tapi au plus profond de sa geôle, Caronte se réveilla en sursaut. Pichard envoya deux autres coups. Le chien se mit à aboyer. Pichard jeta un coup d'œil vers le toit et recommença, avec un sourire en coin. Le couvreur l'énervait. Caronte idem. Pour le chien, c'était réglé : la peur, comme chez le maître… Coincé, le bâtard… Conspué dans sa prison de ferraille. Cela mettait le gros Pichard aux anges. Il tapa de nouveau. Là-haut, le patron ne bougeait plus, ne travaillait plus. Caronte finit par se sentir complètement seul. Pichard s'approcha une dernière fois, tritura le loquet arrière, amena sa mobylette contre l'habitacle et fit ronfler son petit moteur deux temps. La tôle du camion vibra sous ces criailleries de roquet. Alors le chien eut un moment de panique. Seul, abandonné de tous, il n'avait guère le choix ; il fallait céder à l'instinct. Il accepta soudain la bonne fièvre dévastatrice qui le rongeait. Il se mit à rugir dans sa prison, s'élança, et, d'un bond, défonça la porte arrière.

Probablement distrait par la nuit qui tombait alentour, fraîche, délicieuse, Ferratti mit vingt secondes avant de comprendre que le bâtard ne se maîtrisait plus. Caronte avait cessé d'obéir. Il écumait.

Le chien renversa la mobylette, déchiqueta les pneus, mordit Pichard à l'épaule et au bras. Puis le sifflet du maître le cueillit de plein fouet. La stridence claqua entre les pentes de l'allée des Nobles. Le vieux Caronte gémit. Il s'étala ventre à terre, tremblant de tous ses membres dans le gravier, guettant la punition. A sa grande surprise, à son dépit même, cette conclusion se fit attendre au point qu'il osa, au bout de quelques minutes, lever une paupière côté grands bois. Il serra les mâchoires et constata avec amertume que Giulio se désintéressait complètement de son sort. L'autre l'avait oublié, rayé de son existence. Cette fois, le chien Caronte fut réellement chagriné. Il s'étendit sous l'essieu avant de la camionnette patronale en espérant que son propriétaire ingrat se souviendrait encore une fois de lui, ou bien l'écraserait comme une tique.

*

Arrivé devant le vaste paysage montagnard, dans la lumière blanche de la salle d'attente, Ferratti réalisa que le jeune boucher était plus atteint qu'il ne le croyait. Il le vit fatigué, très pâle. Un silence éloquent salua leur entrée. Giulio tambourina à la porte du docteur. Deux minutes s'écoulèrent, puis le visage de Pierre Touraine apparut dans l'embrasure. Du sang gouttait sur les carreaux. Le médecin baissa les yeux, fronça les sourcils et tira Maurice dans son cabinet.

Le couvreur resta seul, sans un mot. Les regards convergèrent sur lui. Il se racla la gorge. Il regarda le grand poster, l'étrange rousseur automnale des mélèzes, puis la grotte ombrée, au loin, perdue dans ses moraines grises. Il pensa à Hélène Vallier et eut une petite plainte. Il se mit à tousser derrière sa veste. On l'accusait. On le dévisageait. Giulio fit quelques pas, regarda les glaciers, toussa de nouveau. Il pensa à Naples, à l'Italie du Sud, au lac d'Averne. Agathe Pisone, la belle Agathe aux seins blancs, ne lui fut cette fois d'aucun secours. Il se trouva peu à peu aspiré dans une quinte qui le plia genoux à terre. Le docteur, appelé, revint de son cabinet avec un aérosol qu'il vida promptement dans les narines de Giulio.

« Vous suivez ma prescription, n'est-ce pas, Ferratti ?

– J'ai arrêté. Ces drogues-là assommeraient un bœuf. Elles me coupent les jambes. Je ne peux pas travailler comme ça, surtout en haut des toits. Jusqu'ici, je n'avais pas le vertige.

– Il faudra revoir le traitement. Et aussi surveiller votre chien. Nous sommes dans une petite ville, n'est-ce pas ? Tout se sait au fur et à mesure… Vous avez certaines responsabilités, avec un animal pareil. Ne les fuyez pas.

– Je ne fuis pas. J'ai horreur de ça, la fuite… bafouilla Giulio.

– Alors faites-le vacciner. Et ne toussez pas pour un rien… Qu'y a-t-il encore, Ferratti ? »

L'artisan toussait de plus belle. Il entra de lui-même dans la salle de soins. Il saisit au bras le jeune Pichard, puis se mit à arpenter le carrelage. Le garçon boucher se dégagea en maugréant. Le docteur haussa les épaules, poussa un soupir. Il eut une minute de nostalgie à l'idée de ce qui l'attendait là haut, dans son salon : le fauteuil en cuir, le porto, les meubles de bois rouge. Puis il revint à son patient. C'était assez. Il désigna la porte. Giulio respirait mieux. Il fouina une dernière fois le long du mur, puis demanda avec un naturel désarmant :

« Vous élevez un couple de colombes, n'est-ce pas ?

– En effet, dit le docteur avec surprise. Mais mes pigeons sont vieux. Ils somnolent tout le jour. On ne peut plus du tout les entendre.

– Vos colombes… rectifia l'artisan.

– Elles ne supportent pas la lumière. Elles sont presque aveugles. Je ne les sors quasiment plus. Je leur ai aménagé un petit appentis avec un radiateur. Ce sont des sortes de figurants, les plus vieux locataires de ma maison.

– Elles s'aiment encore, croyez-moi », affirma Giulio.

Le médecin regarda l'artisan en secouant la tête.

« Impossible, Ferratti… Absolument impossible ! Vous ne connaissez pas les colombes.

– Ce sont les oiseaux de Vénus.

– C'est ça, continue tes trucs… intervint Pichard. Méfiez-vous, docteur. Il est bizarre, Ferratti.

– La colombe… Oui, en effet… Je dois conserver quelque part cette gravure, *Vénus et la Colombe*. Probablement dans le tiroir, sous la cage. Un chef-d'œuvre de délicatesse, avec des rameaux parfaits. Mon vieux père l'avait cachée là, Dieu sait pour quelle raison… »

Mais Pierre Touraine dut s'arrêter. Giulio sifflait de nouveau. Le médecin revint avec son aérosol. Il lui vida une seconde cartouche dans les narines. L'artisan resta un temps sur sa chaise à se tenir la poitrine. Le docteur saisit son téléphone.

Giulio cessa aussitôt de hoqueter. Il se leva d'un bond, écarta Pichard, annonça qu'il savait ce que mijotait la médecine. Il connaissait tout ça d'avance. Il ne resterait pas plus longtemps. Là-dessus, il enfila son manteau et prit la fuite.

*

« Ouah ! Putain con !… »

Giulio Ferratti sursauta. Il traversait la place à grands pas. Il hésita devant la maison de madame Vallier. Il avança encore, puis haussa les épaules et se mit à raser la façade.

«C'est donc toi, le perroquet… C'est toi, Trousse-galant…»

L'autre se déhancha dans sa niche et lâcha un gargouillis. Le couvreur sourit, mais ne parla pas davantage. Il ne voulait pas s'attarder. Voyant son client filer déjà vers l'église, les yeux au sol, le nez dans le manteau, le perroquet ressentit la pire amertume. Il changea aussitôt de couplet. Il choisit une réplique vaudoise, celle des pressés malpolis, qu'il déroula interminablement dans le dos de l'artisan ronchon:

«Y a pas le feu au lac!…»

Après quoi il se renfrogna.

Tout à l'heure, à la manière dont Luc Avelin lui avait soufflé dans le bec en le déposant ici, il avait deviné que rien, pas même une parade entre les platanes de la place Bénicroix, ne changerait le cours de ce fichu après-midi. C'était un soir de deuil. Le perroquet s'était donc glissé sans discussion à l'endroit requis, une niche en fer-blanc très vulgaire qui servait autrefois de reposoir pour la Madone de l'avenue des Flandres. Puis, tourné vers le lampadaire, grattant sa huppe, il avait lâché ses répliques… Ce pauvre Trousse baignait dans une lumière de purgatoire. L'éclairage public de l'avenue l'inondait à moins d'un mètre.

«Ouah! Putain con!»

Cette réplique-là, il l'assenait en général aux raseurs.

Il l'envoya à Giulio. Il la répéta pour la défunte Vallier. Il haussa ensuite ce qui lui tenait lieu d'épaules, deux petites clavicules plumeuses d'une étonnante mobilité. Un deuxième balourd se pointait. Il redit ses mots fétiches, perçut à nouveau le mouvement de protestation qui agitait les rideaux de la chapelle ardente. Ses jurons n'eurent pas d'autre effet. Giulio Ferratti s'était arrêté plus loin. Trousse tenta encore de s'illustrer, gratta la niche en fer-blanc, voulut cracher sur la vitre du lampadaire. Enfin, découragé, il se mit à bouder.

Les perroquets sont très peu tacticiens. Ils agissent avec une sorte de désespérance qui interdit de rire. Rire leur est déconseillé. Ils pratiquent mal cette activité. Ce soir-là, pourtant, Troussegalant essaya de rigoler une fois de plus du haut de sa chaire. Pour la millième fois de son existence, le beau parleur de l'avenue des Flandres voulut ricaner dans le dos des passants mal embouchés. Comme de bien entendu, son gosier ne rendit qu'un lamentable gargouillis qui tomba dans le noir avec le même insuccès que ses plaisanteries précédentes. Alors, après un temps de réflexion, d'angoisse, de solitude extrême, il décida d'adopter à l'encontre de ses prochaines victimes la partition du bituré militaire.

Un groupe de visiteurs rejoignait l'immeuble où il était posté. Sûr de son droit, las de piaffer comme un gueux dans la niche de la Madone, le perroquet éructa la fameuse ballade du troufion en goguette, son chant de la quille et du bistrot, qu'il orna à qui mieux mieux, déployant sa huppe vers la galaxie, usant du plus extraordinaire des vibratos pour réveiller les morts.

Luc Avelin, étudiant à la faculté de lettres, dut fuir précipitamment l'appartement où reposait madame Vallier. Son perroquet Trousse-galant s'égosillait sans repos ni mesure à deux pas, sous les fenêtres de la défunte. Il s'excusa auprès de la famille et partit en pestant.

Brocardé, bafoué, l'oiseau refusa tout net de rejoindre l'épaule de l'étudiant et resta planté dans sa loge maudite. Il en fut délogé à coups de stick. Au numéro trois de l'avenue des Flandres, côté parc, Trousse-galant fut tout de même obligé de s'approcher du perron. Là, il reçut sans broncher, sous les corbeaux ouvragés du balconnet des Avelin, une mémorable raclée que Giulio Ferratti, quelques pâtés de maisons plus loin, observa sans trop comprendre.

Giulio était fatigué. Il devait encore longer la devanture de la pharmacie Bouvet. La belle Napolitaine n'était plus à son poste. La petite perverse avait été reléguée derrière les sièges et les prothèses, en simple toile de fond. On distinguait la forme ambiguë du môle derrière son dos, les flots qui s'y brisaient, mais un arsenal de tubulures et de laçages obturait partiellement la scène, et le danger menaçant ses épaules semblait bien ridicule parmi ces bottines nickelées, ces corsets, ces talonnettes. L'artisan repartit.

Ce ne fut qu'en refermant le portail qu'il se souvint du chien Caronte abandonné deux heures plus tôt sur le terre-plein du Baronnet. Giulio n'abandonnait jamais rien de la sorte, ne laissait jamais rien au hasard. Il soupçonna de nouveau une manœuvre de cet esprit malfaisant qui le cernait depuis peu, dans cette ville, avec une obstination étrange.

A l'angle de la place Bénicroix, il retrouva le fils du maire. Luc Avelin appelait son perroquet d'une voix lasse. Giulio salua, attendit une réponse. La réponse ne vint pas. L'artisan continua de marcher en haussant les épaules. Il descendit l'avenue des Flandres, escalada la grille du parc, rejoignit en silence, dans l'obscurité, ce vallon où le parterre de narcisses, piétiné deux jours auparavant par une génération d'écoliers, exhalait encore son parfum entêtant.

Giulio siffla son chien. Caronte fit la sourde oreille. Giulio siffla de nouveau, plusieurs fois. Parmi ces effluves de fleurs piétinées, tout près du véhicule, il se souvint de la beauté bouleversante d'Hélène Vallier. Il se rappela ses propres gestes, sa violence. On ne délivre personne ainsi.

Il avait été pitoyable. Il avait marché vers elle, guère plus. Quelques pas vers elle, comme jadis, avant de fuir l'Italie, quelques pas vers la pute de l'autre lac… Le lac d'Averne, la porte du monde. L'Averne et son crime, l'Averne et sa pute aux seins blancs. Autour de la mort, pensa-t-il, tout est toujours malencontreux. Giulio voulut avancer dans la prairie comme il l'avait fait auparavant, lentement, imaginant saisir de nouveau le corps de l'institutrice. Il refit les mêmes gestes, mais, cette fois, il n'y avait pas d'enfants des écoles qui guettaient. Il buta sur son chien. Il tomba sur le corps de son chien. Caronte restait là, couché dans l'herbe, immobile, inerte. Le bâtard n'avait pas bougé d'un pouce depuis le départ de son maître. Il gémit sous le talon de Giulio, mais refusa de se lever.

Giulio dut s'accroupir, lui parler à l'oreille, le caresser. Il lui sembla que quelqu'un ricanait non loin, sous les épaisseurs de gravier.

5

Hélène était fatiguée. Elle préparait des litres de café, ingurgitait des liqueurs et des sucreries qu'elle aurait volontiers troquées contre l'alcool raide des hommes, ou contre l'eau du robinet. Elle gardait la nuque droite, les mains croisées. Elle s'habituait aux historiettes qu'on lui répétait, embrassait des inconnus, souriait à des allusions incompréhensibles. La pire corvée était peut-être de tourner vingt fois les pages du même album photographique, de retenir vingt fois les mêmes sanglots, de parler. Toujours parler. Les journées ici, près de ce corps fréquenté depuis si longtemps, étaient assujetties aux mots. Peuplées de mots, nourries de mots. Elle rêvait de ne plus rien écouter, d'envoyer bouler les mots, et dormir, et rêver aux vivants.

La mort exige son dépôt de récits à la morale incertaine. Ériger devant la chair éteinte un mur de paroles et de sons devient une priorité. Le reste peut filer à vau-l'eau… Hélène comprit tout cela. Jeter le reste serait son dernier devoir, la dernière péripétie, son véritable hommage à Raymonde. Elle l'accepta. Les heures passaient. La jeune femme recueillait avec un bonheur de plus en plus étrange ces récits, ces trop-pleins d'émotion, ces anecdotes, ces visites d'élèves sans âge, de curateurs. Elle connut une manière de paix.

Le matin de l'enterrement, levée de bonne heure, fermant la porte de la chambre de sa mère qu'elle venait encore de visiter, elle serra les poings pour garder en mémoire cette forme immobile, inchangée, morte enfin, plus morte que jamais. Elle jeta un dernier coup d'œil. Le lit était plat. Elle la crut disparue. Elle éprouva une seconde de doute total, soupçonnant tromperie ou cauchemar, un piège affreux. Elle serra des deux mains la rampe de l'escalier. Il y avait tant à faire. Elle descendit à la cuisine et se força à répertorier les tâches de la journée, à préparer des boissons. Un peu de soleil perçait dans la rue.

Seule devant la table familiale, elle fut ensuite envahie de pensées très différentes, très vives, très troublantes soudain, fichées là où elle l'attendait le moins, dans le bas du dos, à l'endroit du désir. Elle rejoignit le miroir du salon. Elle s'y regarda un long moment, honteuse de s'y trouver belle de la tête aux pieds, mais lasse, d'une beauté élargie par le deuil. Elle était très pâle. Dehors, le jour gaspillait ses premières lumières. C'était probablement le printemps. Elle pensa au rythme des saisons, aux perrons de l'avenue des Flandres, aux narcisses du parc, à cet artisan couvreur qui l'avait violentée. Elle pensa aux récits mythologiques dans lesquels elle se plongeait, le soir, qu'elle relisait après le départ des visiteurs et qui lui permettaient d'oublier, de repousser un peu le mur des mots. Parfois elle revoyait sa mère Raymonde à l'hospice, butant contre les parois de l'enclume, la prison de sons délétères. Il lui semblait alors progresser un peu. Comprendre un peu. Que dire de plus ? La vie éclipsée, le froid, le sommeil, ce sont là des histoires pour les enfants des écoles, et eux s'en fichent. Hélène Vallier fermait les yeux. Les élèves s'intéressaient aux balustres de l'avenue des Flandres ou à un chien nommé Caronte, coincé dans sa camionnette. Elle sourit. Le miroir du salon était trop généreux. Il semblait que la lumière bougeait dans les parages pour elle seule. Les poussières tournoyaient entre les persiennes. On les respirait, on les avalait sans fin, sans savoir.

Giulio Ferratti n'avait plus reparu depuis ses aveux au pied du Baronnet. Il ne s'était pas inquiété de l'enterrement. Il regrettait peut-être sa déclaration extravagante. Il n'avait même pas pris la peine de signer le registre mortuaire, en bas de l'immeuble.

Luc Avelin, par contre, s'était approché d'elle. Hélène et lui se connaissaient depuis l'enfance. Il était venu lui présenter ses condoléances dès le lendemain du décès et, en partant, dans le vestibule, avait bégayé quelque chose de ridicule en lui prenant la main, une promesse de fidélité, de présence indéfectible. Malgré tout, le fils du maire, à cause du perroquet, avait dû interrompre ce discours enflammé. Son impossible oiseau inondait les fenêtres de l'immeuble de borborygmes et de chants de troufions. Certains s'en étaient offusqués. Hélène avait ri. Maintenant, elle riait encore, tirait la langue au miroir. Elle avait soudain très envie de caresser quelqu'un, quelque chose, le blason Rodier sous le dernier balustre de l'avenue des Flandres, de sentir le grain d'une pierre, d'une peau. Elle faillit courir dehors. Elle se regarda dans la glace. Qu'avait-elle obtenu, ces jours ? Deux hommes, une morte.

Ferratti la voulait, l'aimait sans la connaître. L'autre, en vérité, la troublait aussi, qui chassait son oiseau des îles à coups de trique. Hélène soupira. Elle ne comprenait rien. A l'évidence, sa mère Raymonde, en ces jours d'adieu, lui réservait ses cadeaux. Hélène voulut la visiter une dernière fois, la remercier, l'embrasser. Elle l'embrassa sur la bouche. Le miroir de la chambre, à demi caché, lui restituait des boucles fauves dans le clair-obscur, exaltait son teint crémeux. Sa peau prenait la lumière comme un buvard. Elle se revit petite, au même endroit, devant la même glace, puis adolescente, une vie prometteuse écartant les rideaux devant elle, ouvrant grand les fenêtres.

Au moment de partir pour l'église, inexplicablement, elle se sentit heureuse.

*

Le cortège atteignit peu à peu l'éperon qui dominait le lac. Là, au plus gros de la descente, les freins du corbillard se mirent à grincer. Les regards se fichèrent sur la nuque du maire qui regarda le véhicule, jura dans sa barbe et choisit de payer de sa personne en glissant la tête quelque part sous l'essieu défaillant. Cette manœuvre lui permettrait d'éviter les persiflages sur les travaux en attente dans le secteur depuis des années, et, incidemment, de repérer une paire de chaussures, de l'autre côté, des bottes de chantier dont il observa les rivets, le laçage. Excepté cette fantaisie, le reste de la mise du couvreur était irréprochable, tout à fait conforme aux circonstances.

Le couinement cessa après le raidillon. On perçut le ronflement de l'Yeuse, la rivière du Sonnant. Les premières gouttelettes jaillirent dans un virage, bondirent au-dessus des arbres. L'eau filait en cascade entre les deux falaises, puis tombait brusquement jusqu'au lac artificiel. Le cortège évita les embruns, rejoignit la terrasse du cimetière et se rassembla devant les grilles. Deux cents mètres plus bas, sous la brume, on discernait le voile du barrage, l'arc du chemin de ronde, la longue retenue d'eau.

Maître Avelin s'approcha du cercueil, s'éclaircit la voix, puis récita une oraison funèbre qui imposa à tous silence et recueillement. Le docteur Touraine préféra étudier durant ce discours les rides et les tics de son voisin qui se dandinait d'un pied sur l'autre. Hélène Vallier n'écouta guère plus. Son regard balayait lentement l'esplanade sans remarquer personne. Elle ne vit même pas ses amis, ne remarqua pas la venue de Giulio Ferratti, pas plus que l'absence de Luc Avelin. Elle vit seulement le brouillard qui montait alentour, gagnait les terrasses du bas, menaçait les contreforts du cimetière. Elle repéra aussi la griffe du sculpteur Rodier sur les pierres tombales. Mais elle était ailleurs. Elle songeait à son passé, à son enfance, aux goûters d'autrefois dans la grande classe, aux jeux et aux cris entre les murs de la cour de récréation, au bourdonnement qui enserrait sa mère dans la chambre de l'hospice, à cette enclume, à cet étau de sons entre lesquels la vie se délabrait. Elle songea à Giulio et à ses terribles sifflets.

Il y eut un silence. Le maire s'était tu. C'étaient maintenant les bruits ordinaires du mois d'avril, les oiseaux insolents. Une file se forma le long de la chapelle.

Le couvreur resta à l'écart tout le temps de l'inhumation. Il apparut après le congé du dernier visiteur et sembla hésiter, n'osant aborder l'institutrice qui devisait. Il s'arrêta derrière elle, dans son dos, à moins d'un mètre. Puis il salua le docteur Touraine, bafouilla quelques phrases en chiffonnant sa casquette. Enfin il fit trois pas et, sans y être du tout invité, saisit une pelle qui traînait et se mit à reboucher la fosse. Hélène et le médecin en restèrent sans voix. Le cercueil de Raymonde était couvert de roses. Les premières pelletées lancées par Giulio rebondirent bruyamment sur le couvercle et dérangèrent l'ultime hommage des Sonnantois. La longue boîte sonnait le creux.

Ferratti travailla avec une telle vigueur que la tombe fut comblée en moins de dix minutes. L'artisan se releva, en nage, et leur offrit son beau sourire désarmant.

« Cela protégera votre mère, annonça-t-il. Savez-vous comment on procède habituellement ? »

Il désignait une petite allée derrière le mur de la chapelle, où ronronnait un engin de terrassement.

« Personne ne veut se salir… Les vrais problèmes, ce sont les remblais. Cette machine les répartit mal. Elle rebouche le tout en deux ou trois minutes, à peine le temps de comprendre. C'est fait comme ça vient, et, aux premières pluies, au premier orage, la tombe se décale, les marbres se fendent, parfois la croix bascule… Vous voyez ce pilon à l'arrière de l'engin ? C'est leur dernière trouvaille. Maintenant, on tasse les remblais au vérin, on dame le cercueil, on nivelle la tombe. Seulement, ce marteau n'est pas très délicat et il arrive d'entendre craquer les planches en dessous. J'ai voulu vous épargner… vous éviter ces bruits désagréables. »

Puis, son explication débitée d'une traite, Giulio fila ranger ses outils et disparut.

Le gros de la procession gravissait déjà la rampe. On entendait la rivière à côté, l'Yeuse, qui dévalait la combe. Le docteur et l'institutrice se dévisagèrent.

« Vous avez hérité de votre mère, dit-il en lui prenant le bras. Tout le monde vous guette… Ferratti, pour ne parler que de lui, ne vous quitte pas des yeux. Pendant ce temps, vous, l'esprit ailleurs, vous observez n'importe quoi, un nuage qui s'éloigne sur le lac, les bourgeons dans les arbres, l'appareillage d'un vieux mur… Votre mère Raymonde repérait les mêmes détails. Elle avait une mémoire d'éléphant. Je n'aurais jamais eu l'idée de relever un à un les balustres de l'avenue des Flandres, de les dater, de conclure qu'ils avaient été taillés ensemble, à la même époque, par le même artisan… Tandis que Raymonde, oui. Comme vous.

– C'est ce sculpteur dont je parlais, Rodier… On retrouve sa griffe ici, sur certaines tombes. »

Elle ajouta pour elle-même, après un silence :

«Je dois laisser Giulio tranquille. Il est trop occupé, trop étrange...»

Elle se tourna vers le docteur:

«Ma mère vous connaissait bien, n'est-ce pas?

– Raymonde adorait mes collections, mes petits objets. Le salon acajou regorge de bizarreries qu'on aurait crues faites pour elle. Il m'arrive d'en rêver, voyez-vous. Tenez, c'est elle qui déchiffra ma céramique crétoise. Raymonde avait un don d'observation hors du commun. Et quelle érudition! Elle cachait parfaitement son jeu.»

Le couvreur réapparut en bas, sur l'esplanade. Il se mit à grimper la rampe à vive allure. Ils l'entendirent tousser, au-dessous. Après une pause, il s'engagea dans une ravine coupant les lacets de la route. Pierre Touraine le héla:

«Ferratti! Vous grimpez comme une chèvre! Venez. Je racontais à mademoiselle Vallier une histoire qui devrait vous intriguer...»

Le docteur observa l'artisan qui se hâtait dans le raccourci. Il continua son récit:

«Il ne restait presque rien du décor de la céramique, sinon quelques figurines près du goulot, qu'on voyait mal. La potiche m'avait été cédée dans cet état. Elle était fendillée, agrafée à trois reprises. On discernait encore par-ci par-là les couleurs d'origine, des écailles d'un beau vert céladon. N'étaient les deux personnages enlacés au centre de ces plaques, je n'avais qu'un pot très banal, de très banales craquelures, bref tous les ingrédients d'une bonne duperie d'antiquaire… Eh bien, Hélène, un beau jour votre mère me réclama l'objet. Les figurines l'intriguaient, elle emporta le pot chez elle… Une semaine plus tard, à l'heure de l'apéritif, Raymonde vint frapper à ma porte, le feu aux joues, et annonça qu'elle tenait la solution du problème.

« L'un des personnages représentait un soldat debout, assez jeune, de type hellénistique, casqué, embrassant étroitement un autre jeune homme, ou du moins une silhouette masculine à demi effacée, de facture imprécise et nettement plus sombre. Cette étreinte ne laissait pas d'étonner mes amis, surtout lorsqu'on voulait bien considérer un troisième personnage, comme un témoin assis en retrait, sur la droite, dans l'ombre. La scène prenait une tournure impudique tout à fait intrigante pour l'époque, à condition naturellement qu'on voulût bien accorder une époque à mon vase, ce dont je doutais moi-même. C'était très déroutant, très mystérieux. Pourtant, croyez-moi, Raymonde Vallier avait découvert seule, en un tournemain, le sens de tout cela !

– *Il supplizio di Mezence*, murmura l'artisan derrière eux.

– Pardon, Ferratti ?

– Le supplice de Mézence, le baiser de la Mort », reprit Giulio en haussant les épaules.

Il les fixa en arborant son sourire las.

« Vous parlez d'un exploit ! Des souvenirs, des rengaines de latinistes. On connaît la chanson... »

Giulio Ferratti dévisagea Hélène et continua sourdement :

« Mademoiselle, tout cela n'est pas intéressant. Je n'ai pas d'instruction, je sais mal m'exprimer. Je n'oublie pas que votre mère vient d'être ensevelie. Mais mes yeux sont enchantés. Vous êtes la fille d'un monde ancien. Votre peau et vos yeux resplendissent sur cette terre. Ils nous balaieront tous dans l'autre monde. Ainsi que les fruits de votre giron... Excusez-moi... Je dois retourner au travail. Je voulais seulement vous offrir ceci. »

Il sortit un petit écrin de sa poche et le lui tendit. Puis il s'enfuit dans la rampe, sans un salut. Pierre Touraine fronça les sourcils, serra le bras de l'institutrice.

« Pardonnez-moi, Hélène. Je n'en reviens pas. Quel homme bizarre ! Il a tapé dans le mille. Il s'agit bien du supplice de Mézence. Votre mère Raymonde aurait adoré cet épilogue... Lui, le charpentier-couvreur, avec ses airs de ne pas y toucher, venir la coiffer ainsi sur le poteau! Et sans avoir vu une fois ma potiche… »

Pierre Touraine désigna le paquet.

« Il n'en fait qu'à sa tête, ce Giulio. Il devrait se méfier… Que diable peut-il bien vous offrir ? »

Elle tira le cordonnet qui fermait l'écrin, en sortit un cylindre. Tous deux s'arrêtèrent sous le couvert d'un arbre pour déplier la seconde cartouche, enroulée d'une soie, dans laquelle ils découvrirent un petit anneau de bronze rebattu extraordinairement bien conservé, avec, à peine altérée par le temps, une gravure représentant Vénus et l'Amour archer. Le docteur siffla d'admiration :

« D'où peut-il bien sortir une telle rareté ? »

Hélène examina l'anneau et voulut l'enfiler. Elle baissa les yeux. A ses pieds, les terrasses du cimetière émergeaient de la brume, luisantes, piquetées de blanc. Elle se ravisa avec un sourire mélancolique.

« Non, docteur…

– Regardez-le, il rattrape le maire dans la montée. L'autre jour, il ne respirait plus. Maintenant, voici qu'il double tout le monde… S'il ne suit pas ma prescription, il va être de nouveau malade. Il finira par se détruire les bronches.

Monsieur se fiche de tout, de son médecin comme du reste... Son chien malmène tout le monde. Lui-même rebouche la tombe de votre mère. Et, pour finir, à chaque rencontre, il me confond d'une leçon de mythologie... Les colombes de Vénus, l'Amour archer, la cruauté de Mézence...

– Quelle cruauté ?

– La pire torture, Hélène. Exactement la plus horrible façon qui soit d'ôter la vie. C'est là que votre mère m'a épaté... Elle seule a compris que la silhouette enlacée par le soldat sur ma poterie était un cadavre. Un cadavre debout.

– Debout?

– L'autre, lisant en contrebas, c'est le roi Mézence, tellement célèbre dans l'Antiquité pour ses cruautés. Le roi Mézence avait résolu d'attacher ses ennemis à des dépouilles de suppliciés. On ne les jugeait pas. On les vissait à un mort, on les rivait mains contre mains, visage contre visage à un cadavre. Des semaines durant, ils se vidaient ainsi de leur existence dans ce qu'ils enlaçaient de force. Ils buvaient peu à peu le poison de la mort, en avalaient les effluves... Ces tortures enchantaient le monarque. Elles avaient lieu sous ses yeux, car on le savait friand d'atrocités. Excusez ces précisions, ma pauvre Hélène ! C'est Raymonde qui me les a dites.

– Et le pot ?

– Je l'ai conservé. Le sujet de la décoration lui donne de la valeur. La céramique dort au fond d'un meuble. Je ne la remarque même plus. Peut-être devrais-je la montrer à ce couvreur... »

Pierre Touraine ajouta après un silence :

« J'aimerais réexaminer son anneau. »

Hélène commençait à sentir la fatigue. Elle s'exécuta de mauvaise grâce. Elle avait envie d'être seule, de ne plus parler, de retrouver l'école et ses enfants. Elle tourna plusieurs fois l'anneau de bronze dans ses doigts, sans rien entendre des paroles de son voisin, sans réaliser que le groupe qui entourait le maire, trois virages plus haut, n'avançait plus du tout, immobile au plus fort de la montée.

Le docteur quitta son bras. Hélène en profita pour dénouer le col de son manteau de deuil. Elle se tourna vers le lac artificiel dont les eaux chatoyaient entre deux bancs de brume et fut soudain comme ébranlée par un coup de fouet libertaire qui l'adjurait de jeter là ses habits, de jeter son chapeau et ses gants pour courir vers cet homme singulier qui, à l'évidence, l'aimait, l'aimait sans illusion, sans limite, sans adresse, sans raison.

Elle reprit l'ascension.

Elle pensa à sa mère. On écarte les morts. On écartait sa mère. Une seconde, cette pensée lui fut insupportable. Elle essaya de rappeler Raymonde, de souffrir, d'imaginer son corps très plat comprimé par le mètre de remblais. Puis elle contempla de nouveau le décor, la route, les terrasses alentour, la grille du cimetière, le lac tout en bas. Non, rien à imaginer. Sauf Giulio Ferratti dans le val, qui lançait son sifflet infernal. Des sons. Un homme impassible. Une morte.

Lui ne déviait pas d'un pouce. Il disait ce qu'il avait à dire. Il vivait dans son monde étrange. On le devinait fragile et cassant, terriblement intègre. Tout ce qu'on dit des hommes et qu'ils ne sont jamais.

6

« Avec ça, je n'ai plus de mobylette… »

Luc Avelin sourit. Il saisit une des tripes qui traînaient sur le sol du kiosque à musique. Il observa cet objet, le roula entre ses doigts, constata qu'il était froid et fripé malgré le beau soleil. Pichard râlait devant ses amis mais, à l'évidence, semblait très fier de ses trouvailles. Il se leva pour préciser à l'étudiant que les tripes en question étaient particulièrement rares et recherchées en boucherie, qu'elles se nommaient « bouts-du-monde » et faisaient les meilleures bombes à eau. Il les avait dérobées le matin dans la chambre froide de son père. C'étaient des appendices de porc, sans conteste les plus fameux appendices que fournissait la nature. Résistants, boudinés, obturés.

« C'est avec eux, énonça doctement Pichard, qu'on remplit les jésus. Et seulement avec eux.

Ils se distendent à volonté, se gonflent infiniment… »

Maurice désigna la dizaine de tripes qui s'étalaient sur le plancher. Il les avait remplies d'eau. On aurait dit un alignement de méduses, de gros crapauds ventrus.

Les quatre collégiens firent la grimace. Le fils du maire, qui venait de les rejoindre dans le parc, pensa une nouvelle fois à l'enterrement de Raymonde. L'étalage de Maurice était plutôt malvenu. Il soupira, ébaucha un geste fataliste. Les autres cessèrent leurs pitreries. Luc Avelin s'assit sur un siège. Il portait à l'épaule cet affreux perroquet qui s'égosillait pour un rien. Les collégiens le regardèrent, attendant quelque chose de lui. Trousse, de son côté, s'ennuyait ferme et se grattait les plumes.

Luc réalisa que Maurice Pichard, au fond, s'ennuyait tout autant, malgré ses facéties. Le boucher se releva, tourna dans le kiosque en cherchant une nouvelle distraction. Il ne trouva rien.

« Il n'est pas aimé, ce Giulio, voilà tout… grommela-t-il dans son coin. Impossible de savoir d'où il vient, ce qu'il fabrique au Sonnant. C'est un fait qu'il travaille. On ne comprend rien de plus avec lui... »

Le visage du boucher s'éclaira. Il poussa un petit cri, monta sur un tabouret et, d'un coup, sembla oublier tripes et mobylette. Trousse continuait de se gratter les plumes. Maurice leva le bras, désigna le pansement du docteur Touraine et déclara enfin d'une voix pathétique que tout cela – les bouts-du-monde, la morsure de Caronte, les toux de Ferratti, le printemps précoce – ne valait pas un pet de lapin, en fin de compte. L'important, c'était le Baronnet. Ferratti venait de démolir le toit du Baronnet. Le pavillon allait être rasé. Il n'y aurait bientôt plus de théâtre de verdure au Sonnant, plus de pavillon de chasse, plus rien. Le parc serait mutilé.

Luc Avelin sourit une deuxième fois. C'était son propre père qui avait ordonné les travaux. Il regarda la petite combe qui filait vers les bois. Il traînait là depuis le matin, à ressasser ses déboires amoureux. Il regarda aussi les tripes de Pichard avachies sur le plancher. Il n'hésita pas davantage et emboîta le pas aux collégiens.

Lorsqu'il découvrit le pavillon de chasse privé de toiture, sa petite charpente répandue au fond du val, les tuiles amassées sur le terre-plein, l'herbe foulée aux pieds, il eut le sentiment que sa jeunesse s'étiolait là d'un coup, se démantelait. Il adhéra aussitôt au projet de Pichard : il fallait défendre ce lieu. Les collégiens lui ouvrirent les bras.

Caronte, attaché à un arbre, s'étranglait depuis leur arrivée. Luc s'approcha de la camionnette, lui parla à mi-voix. Il aimait les bêtes à la façon ardente des timides. Caronte flaira cette connivence et, au bout d'un moment, le laissa venir en grognant sourdement. L'étudiant lui flatta le cou, lui montra ce qu'il tenait dans ses doigts. Le bâtard huma le bout-du-monde et finit par se soumettre. Bientôt, il lécha la main de son nouveau protecteur. Il se mit debout en agitant la queue, il voulait partir.

Luc écarta les collégiens, dévissa lentement le mousqueton qui retenait l'animal, puis le libéra. Caronte ignora ostensiblement Maurice Pichard, son ancienne victime, et se mit à gambader sur le terre-plein comme si de rien n'était. Le perroquet Trousse-galant voulut alors réintégrer sa vervelle. Mais le chien, en dépit de ses bonnes dispositions, prit ombrage de cette allégeance et commença à tempêter autour de l'étudiant. Les deux bêtes se détestèrent à la seconde. Luc Avelin n'eut pas le courage de renoncer au cerbère. Il lui semblait que le chien Caronte devait être à leurs côtés. Il avait tout de même mordu le jeune boucher sur l'esplanade du Baronnet.

Le petit groupe fila vers l'avenue.

Maurice Pichard arborait la même bedaine que son père, le même visage glabre et très rond. Lorsqu'il décida de se chapeauter d'un bout-du-monde distendu, puis de glisser la main au veston, façon Bonaparte, et de bomber son torse court, les collégiens surent que leur heure venait. Il faisait incroyablement doux. Le soleil de printemps chauffait les nuques et les esprits. La place Bénicroix serait noire de monde.

Ils remontèrent l'avenue des Flandres dans cette tenue extravagante. Chaque fois qu'on les interpellait, l'Aiglon Pichard ôtait sa main du veston, tirait l'outre qui lui rafraîchissait les tempes, la plaquait sur son ventre comme une casquette et défendait ardemment le Baronnet. Ils s'amusèrent ainsi un certain temps. En fait, on les regardait peu, seulement pour sourire et ne pas s'étonner complètement. Chacun profitait de ce temps inhabituel que rien ne pouvait contredire – en tout cas, pas des excentricités de collégiens. Ils traversèrent la place Bénicroix dans un sens, puis dans l'autre. Les plus à l'aise étaient sans conteste Trousse et Caronte, les deux animaux de compagnie qui, malgré leur mutuelle détestation, goûtaient sans réserve ce genre de promenade en ville. En réalité, ils lorgnaient l'un et l'autre les bouts-du-monde, l'un parce qu'il rêvait d'en tâter la texture singulière, d'en picoter les parois distendues, l'autre parce que sa truffe était vraiment trop émoustillée par l'odeur de tripe aigrelette.

Luc laissa peu à peu son humeur du matin. Il n'avait pas eu le cran d'aller à l'enterrement. Il pensait sans cesse à Hélène Vallier, mais il ne l'aimait pas. Il détestait cet attachement taciturne… Il se reprochait sa veulerie. Il oublia un moment tout cela.

Ils rencontrèrent deux hommes, passé le premier quart d'heure. D'abord Ferratti, au loin, repéré à la seconde par son chien. La petite troupe s'était arrêtée devant la pharmacie de l'avenue. Le fils Bouvet faisait l'article. Il prétendait savoir d'où venait la putain qui trônait jambes écartées dans sa vitrine, nonchalante, sourire aux lèvres, capote entre les doigts. Le chien Caronte gambadait autour d'eux. Il s'arrêta soudain, à dix mètres, et se coucha sur la chaussée. Il éprouva quelques secondes de désarroi total au vu de la silhouette cassée qui progressait là-bas, au croisement. L'artisan leva le nez, détailla le groupe, sembla reconnaître son bâtard, l'appela. Le chien eut peur. Il se releva, se pressa contre Maurice. Ferratti fit encore quelques pas. On imagine que Giulio, à cette distance, ne pouvait reconnaître personne, l'Aiglon Pichard moins que les autres, lequel chaloupait, débraillé, devant la pharmacie, avec son chapeau distendu et son veston Bonaparte. Ferratti ignora aussi – là, ce fut lourd de conséquences – la petite maison qu'il longeait au moment de lancer son sifflet. Y somnolait un militaire dénommé Motardon, gardien de nuit, qui mâchait du chewing-gum et rabâchait ses guerres.

L'artisan ne comprit pas ce que son chien faisait là. Il voulut le récupérer. Il glissa son index dans sa bouche et siffla au mieux, avec la violence qu'on lui avait apprise. Motardon boula dans son lit, écarta le rideau puis, inexplicablement, se retourna sur son oreiller avec un grognement et se rendormit. Trousse vola dans les platanes de l'avenue. Caronte, qui, lui, ne pouvait guère se protéger les tympans, trembla comme une feuille et rampa illico sous les pieds du boucher. Giulio s'approcha, détailla les couvre-chefs.

« Quel assemblage !… C'est toi, Pichard ?

– Tu nous casses les oreilles, avec ton sifflet.

– On dirait Bacchus avec ce ventre et ce truc sur la tête. Manquent la vigne et le raisin.

– Et Priape ! ajouta Luc Avelin.

– En effet… »

La scène était cocasse. Giulio ne put se retenir d'aller tâter la consistance du couvre-chef qui gouttait sur le crâne rond de Maurice. Il avança la main. Trousse lui picora méchamment l'index.

« Un bout-du-monde, grogna Pichard.

– Un quoi ?

– Un bout-du-monde, Ferratti. Toi, c'est le dieu Bacchus. Moi, c'est la tripe. Tu me rappelles l'école, avec ton dieu Bacchus. Il me rappelle tout le temps l'école, celui-là !

– Tu ne viens plus trop me voir…

– Y en a marre. Vraiment assez, Giulio. Fini, ce programme !

– Quel programme ?

– La démolition du Baronnet. Ce pavillon que tu fiches en l'air sans rien demander. Plus ton chien…

– J'ôte seulement la toiture.

– Pour la reconstruire, pour la refaire à neuf ?

– Ça, je ne sais pas trop… avoua Giulio.

– C'est dit ! triompha le boucher en glissant la main au veston. Nous, ici, on est contre. On se mobilise !

– Lui aussi se mobilise ? demanda l'artisan en montrant Luc.

– Lui, c'est le fils de maître Avelin, le maire. Avec le perroquet sur son épaule. Je t'en ai parlé, de ce perroquet.

– Il m'a bouffé le doigt.

– Trousse est très nerveux, expliqua l'étudiant. Il a envie de mordre une tripe.

– Merci…

– Pardon, ce n'est pas ça. Il ne vous connaît pas. Il vous a vu tâter le bout-du-monde. Il est jaloux. C'est ce qu'il voudrait faire depuis tout à l'heure : tâter.

– Et vous ?

– Moi, je suis d'accord avec eux. Je me promenais dans les parages, mais maintenant je proteste. Je les accompagne. »

Ferratti regarda Luc.

« Et on vient me parler toiture alors qu'on remonte d'un cimetière ! Il aurait mieux valu accompagner Hélène et sa mère là en dessous, plutôt que de critiquer les travaux en me volant mon chien ! »

L'outre de Maurice glissa par terre, s'affaissa mollement dans ses jambes. Le chien Caronte dressa une oreille.

« Je ne vole personne.

– Vous ne l'aurez jamais !

– Giulio, n'est-ce pas ?

– Vous, c'est le fiancé ? Le fiancé au perroquet…

– Je la connais depuis l'enfance.

– Vous ne la gagnerez pas ainsi, pas avec l'enfance. Personne ne la gagnera. Il faudrait seulement écarter les animaux. Surtout votre perroquet. On ne choisit pas les animaux. Ce sont eux qui nous convoquent.

– Drôle de type… » fit Luc Avelin.

Giulio s'éloignait sur son trottoir. Il se retourna vers l'étudiant.

« Désolé, lui dit-il en baissant les yeux. Hélène Vallier n'est pas pour vous… Elle m'appartient. Comme la petite pute de l'affiche.

– Pourquoi ça ?

– Elles m'appartiennent toutes les deux. »

Il joignit les mains, le regarda entre ses doigts, répéta qu'il était désolé, mais qu'elles lui appartenaient. Il leur laissa Caronte. Il partit récupérer la camionnette.

7

Eugène Motardon, gardien de nuit, leva le nez de son bol de café, puis écarta le rideau de batiste. Il avait mal dormi. Il somnolait encore. Pourtant, en dépit de sa fatigue, ce qu'il vit sur le trottoir manqua de lui tourner les sangs. C'était un vieux soldat, il avait pas mal bourlingué : l'Indochine, le Viêt-nam, trente mois de djebel… Il ne perdit pas de temps. La vision de la rue l'envoya sur le tapis, à l'instinctive. Il rebondit derrière son canapé et reprit faction sous la fenêtre sans même que sa paupière gauche, qui gardait séquelle d'un vieux mitraillage, eût frémi au-delà du nécessaire. Le second coup d'œil qu'il jeta à l'extérieur faillit le laisser sur le carreau.

Là, dans la rue, en plein soleil, paradait le jeune Maurice Pichard qui dansait à moitié nu devant une grappe d'écoliers hilares. Il reconnut le petit Flavien, de la pharmacie Bouvet, et quelques autres rejetons de la bourgeoisie sonnantoise. Maurice chaloupait, serrait des mains, bombait le torse et les biceps. Les bouffissures de l'inénarrable bout-du-monde lui battaient les tempes. Le fils du maire était aussi présent avec son perroquet imbécile et un grand chien mal peigné. Motardon rampa sous la vitre. Il surprit leur conciliabule. Luc Avelin désignait ses arrières avec de grands gestes, des grimaces. Eugène s'énerva. Il changea de poste d'observation.

Par la seconde fenêtre, il reconnut les autres protagonistes : le garagiste de l'avenue et sa clique, l'assureur, les deux menuisiers de la rue Daurand, tous les faux culs de la sociale, ceux-là mêmes qui avaient taillé la route au moment de l'Algérie, laissant le casse-pipe aux voisins. Le sang de Motardon ne fit qu'un tour. Le temps de sentir sous ses narines l'arôme des feuilles d'oranger, de percevoir le fouet des balles traçantes contre sa cuisse, de reconnaître partout la douleur et la mort, il bondit au-dehors.

Eugène avait peu d'amis au Sonnant. On ne recherchait pas sa compagnie. Pourtant, l'apparition de ce combattant en pyjama, les yeux bouffis de sommeil, la paupière gauche en tétanie, la moustache et la calvitie rivalisant de lustre sous le bon soleil d'avril, cette vision déchaîna l'enthousiasme. On acclama illico et sans arrière-pensées le gardien de nuit. On lui fit la meilleure place. On voulut même le porter en triomphe. Mais madame Motardon apparut dans l'encoignure de la porte. Elle n'aimait pas les groupes d'adolescents. Le veilleur resta donc comme un flan, en pantoufles, dans le chambranle, face au groupe de collégiens.

Luc et ses amis comprirent que le brave Eugène, le gardien de nuit, l'homme de la sécurité et du PMU, leur tombait entre les doigts comme un don du Ciel. Maurice le prit à part et lui annonça que le parc allait être défiguré, que la ville du Sonnant, en perdant son Baronnet, perdrait son emblème, son lieu de rendez-vous, le meilleur de son histoire. L'étudiant ajouta que maître Avelin lui-même ignorait l'ampleur des dégâts (ce qui rassura manifestement le gardien). Tous cajolèrent le baroudeur avec empressement. Eugène Motardon amenait du sang frais. Il fut pour ainsi dire propulsé aux commandes en lieu et place de Pichard. On le plébiscita comme un chef historique. La phalange reprit du nerf.

Motardon accepta de hisser son gros ventre sur une caisse pour haranguer la foule.

Ses premiers mots, alambiqués, grivois, tombèrent comme cheveux sur la soupe au milieu de la délicieuse lumière qui gagnait la ville. Motardon se croyait à la troupe. Les manifestants comprirent aussitôt leur bévue. Ils ne l'écoutèrent plus que d'une oreille, commençant à douter de leur kermesse. Ils venaient de parcourir les rues du Sonnant, s'étaient amusés, avaient lancé la sauvegarde du pavillon. La fougue du veilleur de nuit avait pris de trop étranges proportions. On se mit peu à peu à rêver au déjeuner, au casse-croûte.

Motardon profita du flottement provoqué par son début de discours pour filer dans la villa. Il réapparut deux minutes plus tard, rasé de frais, en tenue militaire, le béret à l'épaulette, avec ce sourire belliqueux et autoritaire qu'on lui connaissait trop bien. Ce fut le début de la débâcle.

L'enthousiasme des collégiens tomba aussi vite qu'il avait grandi quelque temps plus tôt dans le kiosque du parc, et ce, au grand dam du nouveau chef qu'on ne pouvait brocarder trop ouvertement. On lui conseilla d'aller dormir, retrouver sa bourgeoise. Eugène ne voulut pas désarmer. Il prit la tête du groupe, tenta de réunir d'autres garçons qui passaient. On ne l'écoutait pas. La rue se vida, les tripes disparurent. Même l'Aiglon Pichard finit par se reboutonner en désignant son successeur avec des grimaces. Luc et Trousse-galant reculèrent aussi, si bien que ne restèrent en avant de la chaussée que le chien Caronte et le veilleur de nuit, bien visibles dans les dégagements de la place Bénicroix, largement détachés de leurs collègues qui se saluaient dans leur dos, prenaient rendez-vous et mangeaient des sandwiches.

Du côté des endeuillés, on comprit mal la situation.

Le maire, rattrapé en haut de la rampe avait dû discuter, faire amende honorable. Au fond il aimait ça, le maire, discuter avec ses administrés. Rendu au pied du mur, il fonctionnait à l'instinct comme tous ses collègues. Il se mettait en campagne. Il parlait bien et il gagnait. Disponible, droit, avenant, le nom des électeurs au bout des lèvres, moulinant des bras ou serrant une épaule. Simple et courageux... Ici, tout de même, il fallut refréner son ardeur, vu les circonstances. Maître Avelin argumenta avec la modestie qui convenait. Il défendit sobrement son bilan. Il eut même l'idée d'apercevoir exactement au bon moment les badauds qui encombraient le devant de la basilique Bénicroix, certains dans d'assez curieuses tenues. Il cessa de parler, baissa les yeux.

Ce fut donc un cortège des plus recueillis, conscient de sa dignité et de ses charges, qui rejoignit l'esplanade. Le maire du Sonnant marchait en tête, préoccupé, tendu, solennel. A cent mètres, en face d'eux, le chien Caronte et ses suiveurs.

Les deux groupes amorcèrent leur jonction devant l'église. Un certain frémissement agita les badauds sur la place. Maître Avelin le nota en marge de sa conscience, mais continua de marcher sur son trottoir sans songer à lever le nez. Eugène Motardon, par contre, fronça les sourcils en découvrant le maire, et dut s'y reprendre à deux fois avant de convenir que c'était le patron en personne qui lui faisait face, encerclé par toute l'arrière-saison du Sonnant, le troisième âge, la crème, les croûtons, les archives, les bigotes et les faux culs. Eugène était parfaitement remonté. Il cracha sur ses chaussures. A n'en pas douter, menant le train fantôme, c'était bien son chef et employeur, maître Avelin, le maire, qui avançait nez au sol comme une baderne… Eugène cracha de nouveau, mais cette fois dans ses doigts. Il les frotta, les claqua, rentra le ventre.

Chacun s'immobilisa. Maître Avelin allait

buter contre son veilleur de nuit. Caronte leva les oreilles, gronda, dressa l'échine. Les adolescents se regroupèrent sur le trottoir. Puis le perroquet Trousse-galant, qui raffolait des vaudevilles, prit possession du premier platane en lâchant un « Merde alors !... » qui chut macabrement dans le silence général.

Certains processionnaires reconnurent leur propre enfant parmi les collégiens qui protestaient. Les collégiens, eux, aperçurent au loin le visage brouillé de l'institutrice et comprirent à quoi ils avaient affaire, de quelle cérémonie il s'agissait. La fatigue était perceptible de part et d'autre. Les deux groupes se seraient ignorés si Motardon n'avait senti contre son estomac, en vagues d'amplitudes insoupçonnées, déferler les bouillonnantes résolutions du héros. Le soldat avait choisi son camp. On ne le ferait plus renoncer. Il défendrait la cause du Baronnet, il aiderait la jeunesse. Il se sentait transporté. Lorsque le maire commença de le toiser, lui accordant juste, comme d'habitude, une grimace dédaigneuse et ennuyée, l'autre bomba le torse puis vrilla ses yeux clairs dans ceux du chef avec une détermination insolite.

« Qui a ordonné de détruire le pavillon ? » demanda le veilleur de nuit.

Maître Avelin jaugeait son affaire. Le ton du gardien le fit frémir.

« Cela ne vous regarde pas ! Ce ne sont pas vos oignons, Motardon ! »

Ils s'observaient de biais, en silence, séparés par le bâtard Caronte et vingt mètres de chaussée. Le maire dévisagea la troupe qui s'agglutinait derrière le veilleur de nuit. Il reconnut le fils du boucher, le jeune Bouvet et même, dans un renfoncement, sous les parements de l'entrée du curé, son propre fils Luc. Ces instants de silence (on perçut distinctement le babil des passereaux dans les arbres, les klaxons des voitures au loin) lui furent profitables. Il savait que les travaux entrepris au Baronnet provoqueraient des controverses. Mais, tout de même, aujourd'hui, devant la place pleine de monde… Maître Avelin préféra changer son fusil d'épaule. Il s'éclaircit la voix, sourit à l'assistance et, tirant son ancien lieutenant par l'épaule, demanda à voix haute, d'un tout autre ton, presque paternel :

« Enfin, Motardon, qu'y a-t-il ? Que voulez-vous, mon vieux ? A quoi rime ce remue-ménage ? »

Le gardien se mit à bafouiller un discours émaillé de critiques, de pardons, de dérobades assez pitoyables. L'homme de main se décomposait à vue d'œil. Maître Avelin comprit qu'un groupe d'adolescents venait de protester dans sa ville, dans son dos en quelque sorte, bassement, alors qu'il devait enterrer madame Vallier. Les manifestants recommençaient d'ailleurs à chahuter. Il fallait reprendre les choses en main. Le notaire gravit le perron de la cure, tira Motardon à ses côtés, puis improvisa un discours onctueux, parsemé de reproches, de petits dépits qui forcèrent peu à peu le gardien à baisser le nez, à s'excuser. On écouta mieux le maire lorsqu'il invoqua le souvenir de l'institutrice récemment mise en terre. En son nom, il réclama l'arrêt du désordre. Il promit d'écouter les collégiens et d'engager une discussion sur l'avenir du pavillon de chasse dès le lendemain. L'incident était clos. Chacun pouvait rentrer chez soi.

Les choses faillirent en rester là. Le notaire se mit en route, mais oublia Caronte. Caronte tournait depuis un moment sous les marches de la cure. Le bâtard supportait mal les tribunes. Il avait en horreur les estrades, les tabourets, toutes les surélévations. Et aussi les donneurs de leçons. A la première reculade du notaire, il montra les crocs. Giulio était absent. Luc Avelin se désintéressait tout autant de son sort. Le cerbère se sentit seul, abandonné. Il partit donc quereller l'orateur.

Il se mit à gronder sous la cure. Le maire hésita, chercha des yeux son maître.

« C'est Ferratti. C'est encore cet Italien ! »

Le chien sauta sur le perron et, pour la forme, lui agrippa le bas des pantalons. Maître Avelin se débattit, cria, secoua la jambe. Caronte lâcha prise aussitôt. Les collégiens riaient derrière lui. Le notaire reprit souffle. Il n'avait rien. Pourtant, sous ses dehors affables, il venait d'accumuler plus de rancœur qu'il n'y paraissait. Les bilieux de ce genre tolèrent mal le contredit. Ils prennent tout de travers. En fait, il était hors de lui. Il attendit le retour du chien. Caronte tourniquait de nouveau sous le bâtiment. Quand il fut à portée, sans rien annoncer, maître Avelin le cueillit de plein fouet, à bout portant. Deux coups de talon l'un après l'autre dans le museau. La gueule du bâtard craqua, frappa le porche. Caronte avança encore un peu, puis s'écrasa de tout son long devant les collégiens.

Ferratti arrivait par l'avenue des Flandres. Il sauta à bas de sa camionnette. Ses premiers pas l'amenèrent au niveau de l'institutrice, restée en retrait.

« Hélène, que se passe-t-il ?

– C'est vous… Merci. Votre anneau est tellement beau, tellement étrange…

– Vous l'avez aimé ?

– Bien sûr. »

Il y eut un silence, puis l'artisan annonça d'une voix sombre :

« Vous n'êtes pas pour moi. Je n'ai pas la manière. Je porte la poisse à ceux que j'aime.

– Qui êtes-vous réellement ?

– Le Nocher. Quand vous serez morte, je vous prendrai l'argent dans la bouche. Ce sera le prix à payer. La dîme… Je vous passerai sur l'autre bord.

– Que me racontez-vous là ?

– Je vous aime, Hélène. Je n'ai plus fait l'amour depuis si longtemps. »

Elle lui prit la main. Ferratti venait d'apercevoir son chien et l'attroupement sous l'église. Il partit en courant vers la place.

« Revenez, Giulio ! »

Il se retourna.

« Les fuyards font toujours peur. Vous devrez choisir, Hélène. Moi, je ne choisis pas. Jamais… Je vous aime ! »

Il fit une grimace et ajouta :

« Vous êtes déjà avec Luc. »

*

Caronte était un chien de combat. Il n'avait

pas encore recouvré ses esprits, n'avait pas encore reconnu qui le secourait, qu'il bondissait à nouveau sur ses pattes. Le perron était derrière lui, à quelques mètres. Il attaqua en rugissant, évita à la dernière seconde le coup de pied du notaire, et, cette fois, l'agrippa à la gorge. Giulio Ferratti se trouva écartelé entre deux devoirs. Il fit son choix en un instant. Il eut juste le temps de glisser les doigts entre ses lèvres. Il lança son infernal sifflet. L'ordre du Nocher glaça l'assistance, rebondit deux fois sous les poternes de l'église et parvint à ralentir l'amble de l'animal. Mais Caronte, emporté par son élan, renversa tout de même le maire, puis le chef des baroudeurs. Après quoi il s'aplatit au sol et trembla de tous ses membres.

On ne sut jamais quelle jalousie étrange poussa alors Trousse-galant à prendre ombrage de la situation. L'oiseau se mit à voleter au-dessus du groupe, éructa ses insanités, puis, plutôt que de réintégrer le gantelet de Luc, préféra élire comme domicile l'épaule de ce nouveau siffleur hors du commun. Maître Avelin vit le grand perroquet atterrir derrière la casquette de l'artisan couvreur. Le notaire venait d'avoir très peur. De plus, il détestait les bêtes, l'oiseau de son fils plus que les autres. Il se frotta la nuque, constata que Caronte ne lui avait causé aucun dommage, et cela le mit en rage. Il désigna Ferratti à son homme de main :

« C'est ce personnage, imbécile, qui démolit ton précieux Baronnet ! C'est lui, le fautif. C'est lui qui lâche partout cette bête enragée ! »

Giulio entendait à peine. Il regardait Hélène qui tentait d'approcher. Il s'occupait de retenir Caronte.

Le maire avait donc désigné le coupable. Motardon souriait bizarrement. La foule des funérailles se regroupait. Ferratti tenta d'écarter les badauds. Il voulut soustraire son chien à la vindicte. On le soupçonna de fuir. Le ton monta. L'animal se sentit traqué. Giulio glissa ses doigts dans sa bouche et siffla encore, tant pour calmer le chien que pour se faire entendre. La formidable stridence du sifflet traversa une nouvelle fois la place Bénicroix. Elle parvint à aplatir définitivement Caronte, qui choisit de rester sur le goudron sans plus s'occuper de rien, mais elle accrut la nervosité générale.

Trois minutes ne s'étaient pas écoulées depuis la fin du discours du maire. Giulio tournait sur lui-même en cherchant une issue. Il voulut s'échapper, fit quelques pas vers l'institutrice. On s'écarta de mauvaise grâce. Là, le perroquet Trousse-galant, toujours agrippé à l'épaule de l'artisan, eut la mauvaise idée de vouloir s'illustrer en reproduisant l'effrayante stridence du sifflet Ferratti. L'oiseau bloqua contre son palais l'extrémité courbe et squameuse de sa langue, se dressa sur ses ergots et lança d'enthousiasme un premier essai. Il y parvint avec panache. Sa démonstration emporta net un des tympans du charpentier qui, de douleur, empoigna la bête dans son dos et l'écrasa contre un mur. Aussitôt après, Luc, le fils du premier magistrat de la ville, se fit pocher l'œil en tentant de secourir son volatile. Puis l'artisan couvreur courut vers la camionnette. Motardon s'interposa. Giulio hésita à faire face. Puis renonça. Il tomba sous les coups sans résister.

Le veilleur de nuit avait enfin compris quel parti adopter. Il se défoula comme jamais.

*

Trousse-galant devait acquitter un lourd tribut à l'événement. Le perroquet survécut malgré ses membres brisés. Il en perdit toutefois l'usage et dut par la suite vivre comme un vieillard, sans appuis véritables, corseté à chaque déplacement, fragile de l'estomac, nostalgique d'une superbe à jamais révolue.

Luc Avelin paya sa témérité d'une arcade sourcilière fendue de bout en bout. Au début, l'étudiant saigna abondamment sur l'escalier de la basilique et concentra sur lui seul l'attention des secouristes. Une minute après la fin de l'échauffourée, le fils du maire parvint à lever ce qui lui restait de paupière et aperçut Hélène agenouillée près du couvreur. Il détourna les yeux. Mais l'institutrice laissa bientôt Giulio Ferratti pour venir l'assister à son tour. Alors il partit en syncope. Il fut très vite évacué, avec deux autres processionnaires, dans une ambulance que le premier magistrat de la ville, parfaitement indemne, se fit un devoir d'accompagner.

Giulio Ferratti n'eut la vie sauve que grâce au sang-froid du docteur Touraine. Il resta sur le carreau de la place Bénicroix tout le temps de la bousculade. Motardon, qui voulait l'éliminer proprement et complètement, finit par être maîtrisé par ceux qui l'avaient attiré dans l'aventure, Maurice Pichard et ses amis collégiens. Trois grand-mères flageolaient non loin de là. Madame Bouvet, la pharmacienne de l'avenue, avait elle-même subi un bref retour de ses arythmies cardiaques. Le désordre était à son comble. L'immigré italien continuait de geindre dans l'indifférence générale.

Le docteur réussit à s'approcher. Hélène lui

laissa la place. Lorsque Pierre Touraine constata que Giulio reprenait conscience mais, de ce fait, abandonnait dans l'air printanier de la place Bénicroix le peu de ventilation qui lui restait, il craignit le pire. Autour de lui, les Sonnantois grondaient. Hélène Vallier avait disparu. Le docteur réclama un véhicule. Il dégrafa ensuite les vêtements de Giulio et commença de l'assister manuellement. Le couvreur réagit très faiblement. Après quelques minutes de réanimation, il fut pris de spasmes et de quintes qui le tendirent sur le goudron comme un arc. Puis il vida son estomac dans les paumes du médecin. Il fallut lui dégager le fond de la gorge avant de poursuivre. Ce travail à deux doigts de la mort eut le mérite d'assagir complètement la populace. La colère tomba. On contempla le moribond avec une tristesse infinie. La parade était terminée.

Ferratti fut évacué dans le quart d'heure suivant; hospitalisé d'urgence, il subit deux opérations coup sur coup. Au bout de quelques semaines, il partit en convalescence.

Un mois plus tard, au cours d'un dîner réunissant l'essentiel de la bourgeoisie de la ville, Hélène Vallier et Luc Avelin annonçaient leurs fiançailles.

Deuxième partie

L'Averne

1

«Je me préparais à entrer en scène.

«Je sortais de la pénombre, je surgissais au-dessus du comptoir, je me penchais en avant et proposais langoureusement une resucée de grappa. Les reflets crépusculaires du lac des morts léchaient le fameux bar que j'auréolais comme une madone dévoilant son corsage, la madone de Naples, la gardienne sombre et sauvage, avec un bon sourire de mamma juste au-dessus.

«Impossible de résister. Carlo Pisone s'éclipsait sur le ponton. Je tirais mon client vers les arrières du bistrot, dans une chambrette au sol bétonné, à l'atmosphère torride et confinée, remplie d'engrais, couverte de plaques de fibrociment et jouxtée au nord par le réduit du poulailler. Pendant l'amour, je grattais la cloison. J'entendais les poules naines qui tournaient leurs œufs juste derrière, à la tête du lit. Un petit centimètre de carton mâché nous séparait. Le moindre battement d'ailes résonnait dans l'alcôve. Parfois, lorsque la chevauchée durait, des remugles de fientes fusaient sous le galandage. »

Agathe soupira. Sa voisine bâilla, puis fit claquer son soutien-gorge.

« La barbe ! Sitôt arrivée dans ce galetas, tu plonges. Droit dans ton lac ! C'est pas gai.

– Personne ne t'obligeait à venir. »

Gladys courut derrière le bar, attrapa un tabouret.

« Allez, Agathe, nettoie... Frotte ton zinc. Ça calme les nerfs. Carlo Pisone devait être un sacré bricoleur. Il reluit comme jamais, son zinc antique. Drôle de tablette : on dirait du plomb. Dommage que le support soit si tocard...

– Carlo a dégoté la tablette, mais il est parti en premier, dit la tenancière avec aigreur. Pas à cause des bagnoles, Gladys. A cause des clients, de tous les savants qu'il me ramenait. Ça lui donnait le tournis. Une guimauve, cet homme ! Tu vois le genre... Peureux, jaloux, complexé dès que quelqu'un d'autre s'exprime bien...

– C'est pas folichon, ici, faut reconnaître.

– Enlève les voitures, Gladys. Enlève le parking, la pollution, les voyeurs, les descentes de flics. Plus personne sur les pentes du cratère. La solitude, le lac d'Averne immobile, noir et brillant comme les prunelles que tu me balances à présent. Profond comme ton regard de pute, ma jolie. Il y a un gouffre dans tes yeux, Gladys... Un drôle de truc... C'est comme ça que tu les coinces, les hommes, je parie, avec ces yeux de môme bleu profond, noirs sur le pourtour, de vraies prunelles d'envoûteuse, pas vrai ?... »

Gladys cilla gravement.

« Je n'avais pas cette chance... Le jour de mon premier rendez-vous ici, la toute première fois que je suis venue au lac, un ciel presque rose couvrait les collines. Il avait plu tout le matin. Les usines de Pouzzoles fumaient sans discontinuer. La baie de Naples était dans le brouillard. Par moments, les brumes glissaient sur les ravines du cratère, bavaient côté Sibylle...

– Sibylle, connais pas ! coupa la jeune fille.

– C'est la prêtresse. Tu apprendras, Gladys... Les brumes bavaient en formant une bande très mince, une buée, comme une gaze violine qui, par moments, recouvrait entièrement le plan d'eau. Le soleil brillait derrière… Tu aurais vu la mantille ! Une lumière, une douceur incroyables !

« Personne dans ce lieu, sauf le clan du Nocher et mon premier client érudit. Le type avait doublé la mise. Il voulait faire l'amour dans une barque, juste au-dessus des Enfers. Les Enfers c'est ici, ma belle, sous ce lac, sous cette eau dormante… Tu imagines ! Je m'attendais au pire. J'avais même emmené le coup-de-poing américain de Carlo.

« Lorsque j'ai vu l'endroit, lorsque mon amant à lunettes m'a guidée jusqu'au rivage, m'a lavé les pieds, récité des poésies, qu'il m'a désigné les ruines en clamant – rigole pas, Gladys ! – des phrases en latin du genre : *Procul o procul este profan conclamat vates…* »

Gladys leva les yeux au ciel.

« Ça impressionne… Il faudra bien que tu en apprennes une ou deux. Ce jour-là, j'ai compris que je touchais gros. Je me suis laissé dorloter. Le lac d'Averne était parcouru d'ondées rougeâtres. On ne pouvait plus naviguer. C'était magnifique et terrifiant. Puis le soleil a disparu. Les derniers rayons se sont allongés du côté de Pouzzoles, sous la nappe de brouillard, frappant de plein fouet notre petite grotte d'amoureux. La pollution violette a éclaté dans nos yeux. On se serait cru à l'intérieur de la châsse de Saint-Janvier, en plus doux peut-être, sans les dorures. Ou bien dans un ostensoir de tantouzes, tout rosé à l'intérieur. Du vrai champagne…

– Tu parles bien…

– La nuit tombait, continua Agathe. Mon ingénieur me fit deux fois l'amour dans la crypte, contre une banquette en stuc que je n'avais même pas remarquée en entrant. On n'y voyait presque plus. Le type s'est rhabillé et j'ai entendu une petite voix au-dehors, sur l'eau. Un enchantement de voix… Puis un sifflet très puissant lui a répondu. C'était leur signal. Leur appel, Gladys, le grand sifflement des nochers… Les nochers, ce sont les bateliers de ce lieu, les anciens passeurs. Ils sont là, sur le lac d'Averne, depuis la nuit des temps, tous issus de la même famille, la famille Ferratti. Maintenant ils ont disparu… On ne sait même pas où est Giulio.

– Frotte, Agathe ! Nettoie ton zinc, ça te fait du bien de nettoyer.

– L'appel du Nocher a résonné longtemps entre les flancs du cratère. Le jeune Ferratti a ramené sa périssoire. Sa voix de soprano courait à la surface de l'eau, pure, légère. Tu vois ça ?…»

Agathe défit un peu le corsage de Gladys, se mouilla l'index. Le doigt longea la nuque, puis descendit jusqu'au sein qui enflait dans l'obscurité, qui respirait, laiteux, au-dessus du bar de Carlo Pisone.

« Le gosse Ferratti chantait l'air des Titans, annonça-t-elle gravement. J'étais intimidée, très émue. J'avais peur, sans savoir pourquoi. Je crois même que j'ai chialé. L'autre, m'entendant renifler, m'a vite proposé un second rendez-vous. Malheureusement, il m'a aussi débité ses sornettes : l'appartement en ville, la sortie du tunnel, la nouvelle vie... Tu connais le refrain... Je l'ai arrêté en gueulant. Alors lui, ma petite Gladys, lui, l'ingénieur, il a reculé. Il a bredouillé que j'étais faite pour ce lieu, que j'incarnais l'amour. Il tremblait de tous ses membres. Je l'ai embrassé sur la bouche. A pleins boudins, ma poulette. Je crois que j'en avais envie.

– C'est quoi, l'air des Titans ?

– Patience... Mon type s'appelait Nuccio. Nuccio Nelli. J'ai le bourdon rien que d'y penser.

– N'y pense pas.

– Huit jours plus tard, je retrouvais mon client, mais cette fois bourru, mal fagoté, genre intello, des piles sous les yeux, coupable, mal à l'aise, avec ce fichu besoin de manœuvrer au plus vite qui m'a toujours paralysée... Les brumes avaient disparu. L'Averne était lisse, froid. Je désespérais de satisfaire mon bonhomme. On a bâclé les retrouvailles. J'ai quitté la grotte. C'était trop triste. Je suis partie sur le sentier. Et là, Gladys, voilà que de nouveau, à peu près à la même heure, j'ai entendu le gosse qui lançait son drôle d'appel, son drôle de chant suivi du grand sifflet strident. Puis j'ai vu la barque, la périssoire. Elle filait sous mes yeux dans un silence absolu, partageant d'un trait la longueur du plan d'eau. Je suis retournée dans la grotte ; j'ai posé à mon client la même question que toi.

– L'air des Titans ?

– Exactement. Nuccio Nelli me fixait avec un soulagement intense que je n'ai compris que plus tard, après avoir beaucoup appris... C'est là, précisément ce jour-là, que j'ai commencé mon turbin. J'allais m'instruire. J'allais m'intéresser au lac, à ses légendes. Pas très folichon, mais c'était ça ou rien. Le boulot... Nuccio a appelé le Nocher, le père Ferratti, et m'a emmenée faire le tour du cratère en barque, très lentement, le temps de recevoir ma première leçon. Je suis devenue savante, Gladys. J'ai tout sacrifié au travail. Rituels, mythologies, vieux papiers, légendes, cauchemars et tutti quanti. Il faudra que tu apprennes aussi. C'est pas mal...

« Le rafiot du gosse nous suivait de loin,

dissimulé entre les joncs. Un couple de cygnes le signalait par moments, des cygnes étranges, gris perle, comme je n'en ai jamais plus revu, qui sifflaient bec fermé dans le crépuscule. Le vieux Nocher Ferratti les menaçait de ses avirons. A un moment je n'ai plus écouté mon savant, je voyais le lac s'assombrir et les deux cygnes glisser sur l'eau noirâtre, un petit nuage d'écume vissé à l'opercule, exactement comme sur les ex-voto de San Lorenzo Maggiore. En plus joyeux.

– Tu remarques tout, Agathe, tu te souviens du moindre détail. Rien ne t'échappe.

– C'est l'âge. Quand on n'a plus la dégaine, on mate les autres. On se met à aimer les sucreries. Je lève le pied, ma belle. Mais je vois encore bien. Je repère tous les trucs.

– Sauf le satyre qui nous mate derrière le carreau depuis un bon quart d'heure... »

Agathe se retourna. Ses yeux jubilèrent.

Elle se pencha, saisit à pleines mains le bar de Carlo Pisone. Une vingtaine de petites rides concentriques sautèrent la protection de son fond de teint. Son visage s'éclaira. Bouche bée, Gladys détailla avec le plus grand soin ce masque espiègle et chiffonné. Puis la tenancière sourit, lança une chiquenaude sur la gorge à demi nue de sa voisine, et fila vers l'entrée.

« Quelle bonne surprise, Fidélio ! Entrez vite, professeur. Je ne suis pas seule. Venez que je vous présente la génération montante, la nouvelle jouvence des Enfers... »

L'homme inclina la tête, franchit la porte et se déganta avec une lenteur qui impressionna la gamine. Enfin, il baisa respectueusement les doigts de son amie.

« On m'a donc bien renseigné, Agathe. Vous êtes de retour. Le lundi, n'est-ce pas ?

– Voici Gladys, professeur, répondit la dame. Voici la fleur de l'Averne. La nouvelle Proserpine, la pupille noire, les yeux noirs du Cocyte. Fière, jamais fécondée, et fille du vent du Sud pour répondre, cher Fidélio, au moindre de vos désirs.

– Enchanté, mademoiselle ! dit le professeur en s'inclinant à nouveau. Mais quelle aisance, ma chère Agathe, quelle faconde... Vous l'entraînez à nos petits secrets ?

– Voici Fidélio, continua la prostituée, le docteur Fidélio. Pas de trahison ni d'inconstance. Ami et ancien élève de mon premier client, le professeur Nelli dont je te parlais à l'instant. Il enseigne la poésie classique à l'université de Naples. De vrais savants ceux-là, des docteurs, la crème de la péninsule. Ils parlent le latin, n'ont pas leur pareil pour te faire chialer aux pires moments. Ils t'emmènent sur la barque de Ferratti pour que tu ressentes le lac et ses secrets, l'envers du monde.

– Connais pas…

– Il y a peu de temps encore, Gladys, toutes sortes de pèlerins se pressaient ici par centaines, par milliers.

– Laissez-la tranquille, Agathe, voyons !

– C'est le couvercle des morts, l'envers du monde. La Porte… Le seul passage qu'on connaisse pour l'Enfer… L'Enfer s'ouvre au lac d'Averne, ici, à quelques mètres.

– Laissez cette enfant ! gronda le professeur. Allons plutôt contempler les eaux. Le temps se dégrade à vue d'œil. Le vent forcit. »

Ils avancèrent jusqu'à l'embarcadère et prirent place sur le vieux banc de Ferratti, là où avaient médité l'une après l'autre les générations de passeurs. Au sud, l'entrée se couvrait de brumes. Une rafale de vent balaya l'étendue d'eau.

« La nature et la météorologie se mêlent parfois d'épauler nos mythes, murmura le savant. Vous verrez, ma petite Gladys, le cratère est aussi grandiose et ténébreux qu'une tombe…

– Charmant !

– On a tellement sacrifié en ces lieux que chaque mètre de terre est encore souillé de sang.

Parfois, les soirs d'orage, lorsque le vent tourne à l'ouest, nous nous asseyons sur ce ponton. C'est le lieu de Ferratti, son ouvrage. Les nochers y amarrent leur chaloupe depuis la nuit des temps. C'est un lieu de commerce. Nous pensons que les dieux aiment encore le commerce.

– Ça se couvre vraiment ! observa la tenancière. A ce rythme, nous serons en pleine purée d'ici un quart d'heure. Content, Fidélio ?

– Autant qu'on puisse l'être. Le lac est invincible. Il résiste aux pires menaces. Mais nous autres, les rescapés, nous n'aurons plus jamais la paix, plus de guinguette… A propos, vos trois affreuses poules naines nichent-elles toujours à la tête du lit ?

– On me les a volées, répondit Agathe dans un soupir. Je n'habite presque plus ici, mon ami. Je ne viens que le lundi après-midi, et encore, si le temps est couvert. Cela ne me console pas, mais tant pis, c'est comme ça. La vérité, mon cher Fidélio, c'est que les Napolitains n'en finiront jamais de baiser. Dans leurs voitures comme ailleurs… Rappelez-vous comment le love-parking a démarré sur l'Averne. Insidieusement, jour après jour, seulement deux ou trois véhicules que nous ne remarquions même pas. Puis certains soirs de fête. Puis les week-ends. A présent, il n'y a que le début de semaine d'intact, et encore, parce qu'on est fatigué des exploits amoureux du week-end. On préfère la télévision...

– Love-parking ! chanta Gladys. Le nouveau paradis ! L'amour dans les bagnoles... ! Votre fameux lac est en train de se transformer en Parco Virgiliano *bis*. Le triomphe de la baise bâclée. La fin des putes, Agathe ! Avec une jolie barrière métallique, un gardien, un péage...

– Le lac d'Averne reste un site protégé, protesta Fidélio. Nous sommes dans l'un des lieux les plus célèbres de l'Antiquité. On ne le changera pas en bordel !

– Pourquoi non ? susurra Gladys. Il n'y a plus le moindre logement en ville, professeur. Plus de sous. Plus même assez de putains... Avec la mamma, le vieux padre, les cinq gosses en bas âge qui dorment au fond du couloir, difficile de mettre le couvert, surtout avec sa voisine de palier. A défaut d'hôtel, ou de piaule, de meublé, d'appartement pas cher, il faut bien se débrouiller comme on peut. On s'arrange sur les banquettes. Un coin de campagne, docteur, un parking. On bascule les sièges avant et on s'envoie en l'air sous le tableau de bord. Tranquille.

– Tranquille, récita la tenancière.

– Et si ça rameute trop de gens, on s'organise.

Il suffit de se tenir les coudes. On déniche un lieu bien aéré où chacun peut repérer à l'aise les curieux, les voyeurs, les indésirables. Belvédères, promontoires, terrains vagues, tout ce qui est dégagé fait l'affaire. Love-parking, professeur ! C'est ce qui vous guette. On s'envoie en l'air dans sa bagnole, au milieu de dizaines d'autres bagnoles, sous l'œil du gardien qui empoche son pourcentage. Là, on ne risque rien. Pas de surprises… L'affaire est réglée. Il faut dire que votre foutu lac de la mort convient sacrément : célèbre, protégé, mystérieux, une seule voie d'accès. Pas de maison. L'idéal… »

Agathe s'approcha de son ancien client.

« Vous avez vous aussi déserté les lieux, Fidélio. Ils nous mettent tous dehors, n'est-ce pas ?

– Je ne suis revenu qu'une fois depuis la disparition de Nuccio Nelli. Je m'en souviens encore, ma chère. C'était un vendredi de janvier, par ce même temps pluvieux, venté. Je comptais retrouver notre lac comme autrefois, sans cette effervescence sexuelle qui nous a tous évincés les uns après les autres. J'espérais que l'orage, que le chemin trempé décourageraient les adeptes du love-parking. J'arrivai par l'ouest, à pied, sous une pluie battante. Eh bien, là, ma chère Agathe, dans la crypte, sitôt le portail ouvert, je fus brutalement jeté à terre, dépouillé de mon portefeuille et de mes papiers. Je me retrouvai sans rien, sans manteau, sans chapeau, en caleçon et en chemise.

– Pauvre docteur…

– Dans la guinguette, quelle désolation aussi… Les portes et les volets claquaient au vent. Deux couples s'enlaçaient sur les planches, un autre forniquait contre votre zinc. J'ai failli me faire écharper une seconde fois. Des voitures dans tous les coins.

– C'est cuit, dit tristement la tenancière. Fichu, complètement fichu. La Porte va se refermer, l'entrée des Enfers est condamnée à disparaître. Cette fois-ci, ce n'est pas un pauvre volcan minable qui détruira notre lac, mais l'éruption de ce love-parking miteux, la baise industrielle, la fornication chronométrée sous des plaids… »

Le vent venait de forcir. De grandes rafales tourbillonnèrent au-dessus du lac, puis plongèrent dans le cratère en couchant les buissons de genêts. L'orage vint si brutalement que la jeune Gladys éparpilla le contenu de son sac à main sur le ponton. Elle se serra contre les deux autres. Les bourrasques filèrent dans la passe, touchèrent les rives, plièrent les ronciers, fouettèrent les arbres et les temples ruinés, ultimes vestiges de l'Averne glorieux, avant de rebondir sur les crêtes en mugissant. Le vieux lac gémit. Les premières vagues s'échouèrent sans ordre. Une houle se forma au centre du cratère et les eaux se ridèrent d'un bout à l'autre. Agathe, Fidélio et Gladys reçurent un paquet d'embruns. Il fallut s'éloigner du ponton. Aussitôt après, alors que la lumière baissait encore, le débarcadère subit sa première attaque. Il craqua d'un bout à l'autre, dégorgea violemment la vague qui l'assiégeait, puis se mit à osciller dans le noir. Des sèves grises et poussiéreuses gouttèrent des eucalyptus. Gladys protesta. La tenancière dénoua son fichu et lui frotta les joues. Elle fit de même avec le front dégarni du professeur. Elle ressentait une joie bizarre.

« N'oublie pas que nous avons été des précurseurs, Fidélio. Nous avons donné la mesure, en quelque sorte. Nous avons ouvert la porte à ces débordements.

– Tout de même, Agathe ! Nos amours étaient plus honorables que ces chevauchées automobiles… Nuccio redoutait depuis longtemps cette dégradation. Il l'avait prévue, souviens-toi. »

Au nom de Nuccio Nelli, la tenancière se signa.

Ils demeurèrent ainsi un long moment, serrés sur le banc miteux du Nocher, à contempler le trouble grandissant du lac. Gladys découvrait la puissance de l'Averne. Les éléments se déchaînaient à l'intérieur du vieux cratère. L'eau assaillait les piliers de la plate-forme. Exaspéré par les collines qui l'enserraient, le vent martelait, balayant le lac avec une rapidité et une violence extraordinaires. Une lumière jaunâtre baignait ce désordre. De grandes vagues s'organisèrent bientôt à la surface de l'eau. Les coups de boutoir se firent plus réguliers, plus efficaces. Gladys gémit de nouveau.

« Foutu lac de mort ! Vent de merde !... Vous autres, ce n'est guère mieux, avec vos sourires, vos discours de givrés !

– On s'habitue, ma jolie, tu verras... »

Fidélio la prit dans ses bras.

« Il faut dire que, pour un commencement, tu es gâtée. L'Averne a peu évolué depuis des millénaires... Tant de siècles d'abandon... C'est devenu un lieu éteint, une réserve de mythologies. Mais la météo n'a pas changé. C'est toujours la Porte de l'Enfer. Ne crains rien. Nous sommes dans un théâtre, n'est-ce pas, Agathe ? »

La tenancière ne l'écoutait pas.

« L'amour est dans un théâtre depuis le début. La mort l'accompagne aussi, n'est-ce pas ? »

Agathe s'avança sur le bord du ponton. Là, les yeux dans le vague, elle tourna son visage vers le centre du volcan. Il se trempait d'embruns.

Enfin, contre toute attente, le début de tempête s'apaisa d'un coup. Le vent tomba. La houle faiblit. Quelques rouleaux plus espacés ébranlèrent encore les planches du débarcadère, puis le suroît pivota pour se disperser sur le lac, sans gloire, en mollissant. Il finit par s'établir à l'est. En moins d'une demi-heure, le creuset de l'Averne s'était tendu, durci comme une enclume, puis soudainement apaisé. La lumière revenait au couchant, sous des masses de nuages.

Les deux femmes et le professeur avaient trouvé refuge dans l'ancienne guinguette Pisone. Ils se séchaient tous trois derrière le zinc lorsque la clameur du cratère s'arrêta net. Agathe quitta son abri et glissa la tête par l'entrebâillement de la porte en poussant un petit cri joyeux, incrédule. La passe était fouettée de biais par une lame de lumière rousse très contrastée, fluide, juvénile. Un faisceau de couleurs jubilantes, dorées, comme neuves, annonçait le retour du plein ciel. Il fallait fêter ça. La tenancière s'en fut avec Fidélio chercher une bouteille derrière le poulailler.

On n'y voyait guère à l'intérieur du bistrot.

Gladys se dévêtit complètement, emprunta le sac à main de son aînée et ôta d'un coup cils, Rimmel, khôl et fond de teint, toute la préparation de la journée. Après un regard dans le miroir, elle eut une moue indécise, puis soupira et choisit d'effacer également le rouge qui marquait ses lèvres. Elle fit quelques pas, hésita de nouveau, ne sachant comment montrer son nouveau visage. Elle s'accouda nonchalamment au bar de Carlo.

Son corps luisait dans la pénombre, contre le reflet du vieux zinc. Agathe et le professeur la surprirent ainsi, plus innocente, plus candide que jamais au milieu des débris de ce lieu de kermesse. Le battant de la porte d'entrée grinçait.

« Jolie comme un cœur ! ronronna la vieille prostituée. Un narcisse. Un bouton de rose éclos face à l'entrée du monde... Seule après la tempête... Ronde comme un cabri... Tu as de la chance que je connaisse mon lac sur le bout des doigts, Gladys ! Pluton, le dieu de l'Averne, vient juste de renoncer. Le ciel au-dessus de nous sera neuf et entièrement lavé d'ici un quart d'heure. Sinon, je t'aurais tirée à nouveau sur le ponton des Ferratti pour le plaisir de voir toutes ces bouclettes se mouiller d'embruns, tes jolies pommettes rougir jusqu'aux tempes. A croquer ! Une nymphette éplorée, seule, abandonnée dans la tourmente… Une vierge en sacrifice sur le ponton des Enfers… Quel programme, Fidélio !

– Pas si vierge… » corrigea Gladys.

La jeune fille s'avança vers la porte, glissa son nez par le chambranle. Une bande de ciel bleu coupait la masse de nuages. Les rayons escaladaient le monte Nuovo, les brouillards s'effilochaient. Le cratère allait montrer son meilleur visage, métamorphosé par la pluie.

« Ça va mieux ! » annonça-t-elle en se rhabillant.

Elle se tourna vers le lac et poussa un cri de joie.

« Ça va de mieux en mieux ! Regardez qui se pointe ici, professeur ! Matez les visiteuses… Les deux canes… Prétentieuses, grises, droites comme des autruches. Le bec des putes, pour parler bien. Elles ont l'air de vous connaître, Fidélio ! Elles approchent…

– Ce sont nos cygnes… Les cygnes d'autrefois ! Il faudra les apprivoiser aussi. Les deux cygnes viennent te séduire… »

Agathe courut au débarcadère. Elle s'agenouilla à la limite de l'eau. Elle plongea aussitôt ses bras dans le lac, agita alternativement la paume des mains en provoquant un étrange clapotis. Les deux cygnes avançaient entre les pieux.

D'un coup de palme, ils s'immobilisèrent en face d'elle, à trois mètres, imitant son jeu, plongeant le cou et l'extrémité des ailes dans l'eau glacée. Ils sifflaient à tour de rôle un petit jet liquide sur les planches du ponton.

Une minute de ce dialogue suffit à baigner de larmes le visage de la prostituée. Puis les cygnes gris s'ébrouèrent, repartirent vers le centre du lac. Leur voix de crécelle sonna trois fois, désagréablement. Ils disparurent de l'autre côté, entre les joncs.

«Je suis certaine qu'ils savent où est Nuccio, murmura la tenancière. Ils le savaient au moment de Giulio Ferratti. Voici qu'ils resurgissent… C'est la première fois que je les revois.

– Vraiment? dit le professeur.

– Je les croyais morts. Ils n'ont pas reparu depuis le départ du Nocher. Je suis certaine qu'ils savent où est Nuccio.

– Qui est donc ce Nuccio dont tu nous rebats les oreilles? coupa Gladys.

– La vieille Ferratti nourrissait elle-même les cygnes, continua le professeur en ignorant sa question. Ils se seront enfuis au même moment, peut-être quelque part dans les marais…»

Le savant soupira.

« Ce lieu est contraint par les mythologies. Zeus n'aime guère la débauche, ma petite Gladys. C'est un oracle qu'Il t'adresse, un message pour toi seule. Ces animaux n'avaient pas resurgi jusqu'à ce jour. Les deux cygnes veulent te parler.

– Assez de sous-entendus ! On n'y comprend rien ! J'en ai par-dessus la tête de vos secrets... Je ne suis pas là pour les antiques ou les divinités. D'ordinaire, on répond aux questions, même chez les savants.

– Il faudrait commencer par le début... Le lac d'Averne est un endroit complexe, très chargé. Dans l'Antiquité, ce lieu était considéré comme l'entrée même des Enfers. Les oiseaux qui osaient traverser le ciel au-dessus de nous tombaient foudroyés au milieu des eaux. De tous temps, on a accompli ici des sacrifices, des pèlerinages. Quelques héros se sont même risqués sous le lac pour braver le maître des lieux, le dieu Pluton, dans son royaume de mort : Enée, Proserpine, bien sûr, Orphée...

– Vos litanies ! coupa la jeune fille. Je veux seulement savoir qui est ce Nuccio Nelli, et pourquoi il met Agathe dans cet état.

– Nuccio Nelli, archéologue, détaché à la conservation du site de Cumes. Un ami, compagnon de faculté. Il développait de prodigieuses intuitions... Peut-être le meilleur d'entre nous. Il a disparu brutalement au moment où les véhicules envahissaient le site, au début du love-parking. Peu après, ce fut le tour de Giulio Ferratti, le Nocher.

– Viens ici, Gladys ! appela la tenancière. Tu vas prendre froid. L'Averne est un lieu impossible... Fidélio a raison, il faudrait tout reprendre depuis le début. Commence par te déshabiller. Les cygnes ne sont plus là.

– Et l'ingénieur ?

– Il en a vu d'autres. Il n'est pas d'humeur folâtre, aujourd'hui. »

Gladys soupira, ôta son chemisier puis courut d'une traite vers le lac. Elle s'élança ainsi, les seins à l'air, sur le vieux ponton délabré. Elle sauta sur les planches pourries et amorça un plongeon. Mais quelque chose la retint. Elle changea d'avis à la dernière seconde, s'arc-bouta de toutes ses forces sur les pieux du débarcadère. Elle reprit équilibre sur son piquet. Elle gigota, fit de grands moulinets avec ses bras. Elle interpella ses amis, faillit basculer une nouvelle fois dans l'eau.

« Méfie-toi, Gladys ! L'eau est glacée.

– Il y a des Allemands, par ici ? C'est ton lac de mort qui m'y fait penser... Et ton Pisone aussi, avec son zinc pourri, ses histoires de maquereau.

– Allemands, Suisses, Japonais, chacun prend sa dose. C'est le love-parking, Gladys. Il y a du boulot pour tout le monde, crois-moi.

2

Les touristes allemands étaient venus en BMW. Deux BMW gris métallisé, le genre de boîte à savon que les richards de Naples utilisaient pour conduire leurs morts au cimetière. Puissantes, obtuses, racées, silencieuses. Ils avaient levé sans la moindre hésitation la chaîne barrant l'entrée du chemin, s'étaient aventurés jusqu'au ponton avec leurs gros cercueils roulants, leurs longs coffres luisants et anguleux, ignorant les interdictions placardées le long de la route. Ils étaient partis s'asseoir sur le banc du vieux Nocher Ferratti. Une heure de bavardages, d'éclats de rire qui sonnaient bizarrement dans le cratère. Giulio avait alors treize ans. Il les guettait depuis sa cabane, à la jumelle. Le lac changeait peu à peu, d'une saison à l'autre. Maintenant, il fallait attendre. Se taire et guetter. Chaque nouveau visiteur obligeait à se taire, à se soumettre et à guetter davantage.

Les précurseurs du love-parking commençaient à s'aventurer sur les pentes du volcan mythique. Ils garaient leur auto à l'ombre des néfliers, et là, certains week-ends, vaguement dissimulés par des plaids, s'exploraient, mêlaient en vitesse leurs jambes, leurs bouches. Giulio guettait ces étreintes qui le laissaient pantelant et qu'il illustrait lui-même par d'assez piteuses contorsions sur les planches de sa cabane. Après, il regardait différemment son père. Différemment les animaux. Quant à l'autre amour, celui qu'Agathe évoquait par moments devant lui d'une voix rauque, il restait tapi, celui-là, aveuglé comme une taupe sous leurs pieds, dans l'Hadès. Le love-parking était une manière de tribut payé au lieu et aux divinités qui s'y terraient. Un dernier sacrifice. De tous temps, on avait versé ici le sang des bœufs noirs, celui des brebis gravides.

Giulio observait le délabrement de son cratère. Il avait grandi au milieu de cette érudition sauvage et parcellaire que les nochers méprisaient depuis des générations, mais qui nourrissait le clan. Il y avait dérivé toute sa petite enfance, cueillant le savoir au fil des tournées sur le lac, assemblant des fragments de légendes, reconstituant sans but et sans directive les mythologies, les épopées, les destins antiques. Il lui fallait admettre le commerce sexuel qui gagnait peu à peu les bords du cratère et dont nul ne se souciait. Jusqu'ici, l'amour était resté pour lui une affaire de dieux: le dieu Pluton sous l'Averne, la grande prêtresse Sibylle dans son antre, et surtout Agathe Pisone dans sa guinguette. Pour Agathe, ce n'étaient plus les héros antiques qui ordonnaient le monde, mais des savants à la voix douce. Ces docteurs-là s'enflammaient pour Virgile autant que pour le ventre des femmes. Parfois même plus, et Agathe s'en félicitait. Parfois un peu moins, et elle leur offrait son corps blanc. Chacun y trouvait son bonheur.

Maintenant, les voitures s'alignaient sur les berges. Le lac perdait son rôle. L'amour qui se jouait derrière les pare-brise, échevelé, ignoré par les dieux, n'avait ni panache ni secret. Il durait quelques secondes et laissait un arrière-goût de cuisine.

*

Les couples allemands avaient devisé un temps sans compagnie. Au bout d'une demi-heure, ils frappèrent sur les planches du ponton et Giulio rangea ses jumelles. Le sifflet du Nocher traversa le cratère, stria les eaux du lac en arrachant des grimaces aux visiteurs. Le garçon sauta de son arbre. D'un coup de périssoire, il rejoignit l'embarcadère.

La balade fut éprouvante. Les Allemands avaient été assortis par paires, chacun sur sa banquette, probablement de la même manière convenue et déprimée qu'ils se rejoignaient le soir au lit. Ce placement mina leur entrain. Ils cessèrent bientôt de jacasser et subirent comme tout un chacun l'influence du lieu. Une petite brise s'était levée. L'eau clapotait sur la rive. Les deux cygnes glissaient à leurs côtés, deux cygnes gris clair que les Allemands observaient sans mot dire.

Puis, après une demi-heure de cette méditation forcée, ils sortirent de leur léthargie et commencèrent à s'interpeller au-dessus des eaux. Leur soudain dialogue à voix haute, d'un bateau à l'autre, dans une langue inconnue, exaspéra Giulio. Son père convoyait d'ordinaire des savants émus, des pèlerins. Ces touristes-là riaient fort et à contretemps. Ils se tapaient les cuisses, se prenaient à partie. Les cygnes disparurent. Après la navette aux thermes, les Allemands semblaient apprécier d'un seul coup leur promenade. Ils voulurent tout revoir, tout revisiter, s'arrêter devant la moindre ruine. Le patron de l'Averne décida de les débarquer chez la donna Pisone.

Carlo Pisone cligna de l'œil en voyant surgir Giulio et son père. Il tapota son zinc, selon le signal convenu. L'adolescent fila se poster en contrebas, devant l'entrée du site, avec la charge d'intercepter quatre ou cinq personnages que les tenanciers du bistrot estimaient. Au nombre de ces familiers figuraient bien entendu les deux savants de Naples, Nuccio Nelli et Fidélio, de si régulière compagnie, qui ne manquaient jamais de doubler le pourboire du jeune guetteur.

L'archéologue Nelli parut dans le virage avec son chapeau, entre les tamaris. Giulio courut jusqu'au cabanon d'Agathe. Le réduit des poules jouxtait le réduit de l'amour. Giulio fourra sa tête contre le mur en papier mâché et envoya son message. Pourtant, malgré l'urgence, le retour du signal se fit attendre. On discutait ferme à l'intérieur, des voix d'hommes entrecoupées d'éclats de rire. Giulio glissa un œil entre les lattes de la cloison et découvrit un spectacle étrange: un alignement de bedaines, une procession de ventres plus ou moins velus et disgracieux qui trépignaient et faisaient voler la poussière. Les ventres s'agitaient sur le modeste sol bétonné de la chambre d'amour.

La belle n'était plus à son poste. Les femmes des Allemands avaient déserté elles aussi. Giulio retourna auprès de Nelli.

Quelques minutes plus tard, ils frappaient à la porte de la guinguette. Carlo leur ouvrit, fronça le nez en reconnaissant l'archéologue, posa un doigt sur ses lèvres, les guida jusqu'à une rangée de chaises dans la pénombre. Là, ils retrouvèrent les quatre épouses délaissées, plus Agathe Pisone et les parents Ferratti, ainsi que l'autre ami de Naples, le professeur Fidélio. Le sol de la guinguette était jonché de bouteilles vides. Les matrones gloussaient dans le noir, pouffaient, s'invectivaient, avalaient l'un sur l'autre de petits godets de grappa que Carlo remplissait avec un sourire victorieux. Fidélio fourrageait dans le corsage d'Agathe qui, les seins dehors, le ventre débraillé, semblait plutôt convoiter les moustaches du père, le vieux Ferratti, le Nocher. Pisone courait sans cesse au débarras et revenait les yeux brillants, assurant que les choses, cette fois, iraient bon train.

Le jeune Giulio n'ignorait pas ces réunions vineuses. Derrière elles, il sentait poindre les Harpies et leur haleine pestilentielle. Les visiteurs de l'Averne lui avaient souvent décrit cet air vicié, cette puanteur mythique et méphitique. Mais là, aujourd'hui, tout allait bizarrement... Le professeur Nelli lui-même applaudissait des deux mains. Giulio Ferratti se leva. Pisone fut sur lui à la seconde, le rejeta sur le tabouret et lui glissa :

« Patience, petit... Ils arrivent ! Tu ne le regretteras pas. »

On entendit un chant, un air martial sifflé a capella par des voix masculines. Carlo éteignit ses lumières. La musique augmenta d'intensité. Les hommes approchèrent, sifflèrent contre la porte, déclenchant un long frisson parmi la rangée de spectateurs. Le battant s'ouvrit dans le noir. De part et d'autre du fameux zinc où luisaient des bougies, apparurent en procession quatre figures de nains surmontés d'énormes barriques, qui se dandinaient. Carlo Pisone attendit que les gnomes aient achevé leur premier tour de piste. Puis il donna la lumière. Le sifflement semblait rouler des baquets eux-mêmes. Un grand rire secoua la guinguette. Giulio regarda en grimaçant.

Ils avaient des strings et des porte-bourses. Leurs bras étaient repliés au-dessus d'eux dans une sorte de poubelle en plastique noir formant chapeau. Ce haut-de-forme couvrait la base du cou, cachait la tête et permettait au torse et au ventre de figurer un autre visage, un large faciès de nabot planté sur les deux petites jambes ridicules.

Les yeux étaient crayonnés au noir sous les seins, des faux cils bataillaient près des aréoles, surmontés de deux longues paupières charbonneuses. Les narines en caoutchouc tressautaient contre l'abdomen, tendues par des fils de pêche. La bouche surgissait plus bas, au niveau du ventre, une bouche sombre et lippue avec sa grosse langue en plastique plantée dans le nombril. Entre ces lèvres pendait un mégot. Les quatre amuseurs tendaient et distendaient ladite bouche et le mégot en rentrant ou bombant le ventre, alternativement, sur le rythme de leur chanson préférée, l'air du *Pont de la rivière Kwaï*. Un peu de fumée bleue glissait de ces grosses lippes abdominales.

Le public de la guinguette applaudit très fort la prestation, puis entonna à son tour l'air du *Pont de la rivière Kwaï*. Les Allemands se trémoussèrent. L'un des pitres, à force de chanter sous son baquet, de tendre et distendre les muscles de son abdomen, fut pris de nausées et dut aller rendre son repas derrière le zinc de Carlo. Les autres, au bout d'une ou deux danses, parurent nettement plus émoustillés. Ils commençaient à bander sous les strings. Le professeur Nelli était resté silencieux jusque-là. Il sembla soudain très intéressé. Il se leva, chaloupa dans le dos des barriques, dénoua les ficelles l'une après l'autre, puis revint sur le devant de la scène pour détailler ces érections qui, sous la langue en plastique, rivalisaient bizarrement avec la tige du mégot rougeoyant dans le nombril. Ce fut comme un coup de fouet général. La troupe donna de la voix. Les bas-ventres tressautèrent à qui mieux mieux. Nuccio, le professeur, se mit à gouailler au milieu des nabots en gueulant qu'on n'y comprenait rien. La démonstration se termina à son désavantage. Il fut pris d'une petite toux sèche qui le força à retourner sur sa chaise. Cette toux se transforma en quinte et le secoua interminablement. Nul ne s'en occupa. Nul ne s'en offusqua. Giulio qui, lui, n'avait rien bu, qui méconnaissait *Le Pont de la rivière Kwaï*, regarda bientôt avec le même effroi son propre père, le descendant des nochers de l'Averne, hilare, congestionné, offrir aux Germains l'épaule blanche et grasse d'Agathe Pisone, leur protégée.

Giulio partit à son tour vomir aux toilettes. On voulut le retenir pour la fin du spectacle. Il réussit à s'esquiver.

*

« Voilà, Maurice. C'était ça, mon lac. Mon lac d'Averne. Et eux gueulaient dans la guinguette. Ils bandaient comme des malades, ils chantaient

Le Pont de la rivière Kwaï… Tu te rends compte, *Le Pont de la rivière Kwaï* !

– Connais pas.

– En chœur, tous ensemble, en buvant comme des trous… Moi, je dégueulais sur les carrosseries. Il y avait déjà les voitures, tu comprends, le début du love-parking.

– Connais pas.

– Je sais bien que tu ne connais pas, Maurice.

– Juste ta cafétéria de merde.

– D'accord pour la cafétéria de merde… Excuses, Pichard. Tu es le seul à venir me voir.

– J'aime ça, venir te voir, répondit sobrement le boucher. Mais, tout de même… Un hôpital comme ici… Et, à chaque angle, des givrés, des fous, des allumés partout !

– Tu voudrais quoi ? Rentrer ? Que je retourne au Sonnant ?

– Ce serait mieux.

– Je n'ai pas le courage… Je ne ressens plus grand chose, depuis l'accident. Ni appétit, ni sommeil, ni douleur. J'ai seulement peur, un peu plus qu'autrefois… Je ne mange pas. Il l'a épousée ?

– Qui ?

– Le fiancé au perroquet.

– Épousé qui ?

– Tu sais bien.

– Non, pas encore… fit le garçon boucher de sa voix sombre.

– Tu vois… »

Giulio leva les yeux de sa tasse où refroidissait un ersatz d'expresso (trois quarts de chicorée liquide, un quart de robusta) et observa l'enfilade de tables en plastique ininflammable sur lesquelles se prélassaient les pensionnaires de l'après-midi.

« Tu vas contempler d'ici peu un sacré beau spectacle…

– Déconne pas.

– Tu te souviens des tripes ?

– Un peu, que je m'en souviens ! Là, je me suis fait vraiment engueuler. Pendu, Ferratti ! Tout le monde se foutait de ce qui t'arrivait, mais les tripes, alors là… Les jésus, mon pote, c'est pas rien. Cons de boyaux ! Il a fallu que je les rembourse.

– Normal.

– Normal quoi ?

– Rien… Je t'aime bien, Pichard. Tu ressembles à Bacchus.

– Je ne viens pas pour ces trucs.

– Alors, regarde ce qui va se passer dans la cafétéria. C'est le moment. Après, je te raconterai… »

Giulio lui prit le coude et désigna l'horloge au-dessus de la porte. Il était exactement seize heures vingt-deux. Sans un signal, le couple de trisomiques se mit à onduler de concert contre la banquette en plastique. Le plus dégingandé des deux s'affaissa jusqu'au sol, toucha le linoléum vert pomme, regarda ses doigts, se dressa comme un ressort, brandit une main lisse et livide vers le plafond, jusqu'aux pavés de verre. L'autre ne s'occupait de rien. Il ballottait, chantonnait, se mouillait les lèvres.

« Un hôpital, Pichard. Des fous, Pichard... Mais moi, ici, j'ai toute ma raison », souffla l'artisan.

Le second débile s'affaissa à son tour. Il récolta la même manne impalpable et retomba ensuite sur son siège dans l'indifférence générale. Giulio prit le boucher par l'épaule. Les deux pensionnaires étaient prostrés sur leur table. Ils regardaient leurs mains vides. Une minute s'était écoulée. Il était à peine seize heures vingt-trois. Giulio tourna la tête de Pichard et indiqua la petite Eloïse, quelques chaises plus loin. Eloïse allait maintenant se zébrer la cuisse avec une lame de rasoir. Elle n'avait pas dix-sept ans. Elle leur sourit, repéra soigneusement le tracé de son estafilade. Il était seize heures vingt-quatre. Bientôt, les infirmiers viendraient avec la chicorée.

« Tu aimes la chicorée ? »

L'autre frémit.

« Cafétéria de merde...

– Tu devrais regarder, Maurice. Observer ce qui se passe, au lieu de ronchonner, mon vieux. Tu tombes bien. Eloïse ne sort sa lame qu'une fois par semaine, pas davantage. Et le jeudi seulement. Elle est très à cheval sur l'horaire, crois-moi... Ponctuelle, la petite Eloïse, rigoureusement ponctuelle ! »

Pichard regarda à contrecœur. Eloïse s'était ouvert la cuisse. L'estafilade laissait perler un filet de sang que la gamine suivait avec ravissement. Ferratti nota une nouvelle fois que cette écorchure lui était entièrement destinée. Il comprit encore, et une nouvelle fois, qu'Eloïse ne lui proposait jamais un ventre ou des jambes, mais bel et bien ce signal dont elle ne savait rien elle-même, et seulement parce que lui était différent des autres, moins raboté par les médicaments et les séjours à l'hôpital.

« Cinglée !... Putain, elle est cinglée !

– Tu n'as pas peur, toi ? » demanda Giulio.

Pichard haussa les épaules. Il enfila sa veste.

« Moi, j'ai peur. Et j'ai envie de fuir. Toujours envie de fuir. C'est la peur qui attire Eloïse. Rien que ça. Le reste, elle s'en fout... Toi aussi, Pichard, c'est la peur qui t'attire. Seulement le reste, tu ne t'en fous pas...

– D'habitude, je cause, j'invente des trucs. Avec toi, impossible.

– Tu es un faux bavard, Maurice. Un faux bavard. Et moi, un faux héros. Regarde Eloïse. Elle est belle, pas vrai ?.... Elle a des cuisses d'enfant. Presque pas de seins, presque pas de formes. Fais attention, on dirait Eurydice.

– Quoi encore, avec tes conneries ?

– Eurydice. L'amour aux Enfers. L'amour d'Orphée.

– Orphée ?

– Orphée, Pichard. »

Le boucher resta silencieux une seconde.

« On va jouer un truc comme ça au Sonnant, il me semble... »

Giulio sauta sur ses pieds et le regarda droit dans les yeux.

« Orphée, Maurice... Tu es sûr ?

– Certain. Au théâtre... *Orphée*. Il y a plein d'affiches dans toute la ville.

– Alors là, mon vieux, écoute-moi. Écoute-moi bien !

– Je t'écoute.

– Vas-y. C'est un opéra, mais vas-y quand même.

– Quoi ?

– Vas-y, Maurice. Prends une place pour

l'*Orfeo*. Tu comprendras. Tu comprendras tous les trucs.

– Je m'en fous, moi, de savoir tes trucs.

– Tu voulais savoir, au Sonnant. Tu disais que tu voulais comprendre, non… ? »

Eloïse les regarda en souriant. Elle saisit sa petite lame de rasoir et zébra une seconde fois, très lentement, le haut de sa cuisse. Giulio tourna les yeux, se prit la tête dans les mains.

« Tant pis. Je suis fatigué… Fais ce que tu veux. Mais méfie-toi : dès qu'Eloïse a terminé ses deux coupures, si tu lui parles, si tu t'approches tant soit peu, elle te larde.

– Cinglés ! »

L'hémorragie ne durait guère. Le filet de sang commençait à sécher sur le haut de la jambe que, déjà, les deux simplets reprenaient leur exploration du linoléum. Giulio plongea le nez dans sa tasse et compta mentalement leurs chutes. Un gros infirmier se profila derrière la porte d'entrée. Il repartit vers son jeu de tarot. Pichard avait la trouille. La nuit tombait lentement sur le Formica jaune paille. Eloïse se maquillait la bouche dans son miroir de poche. Elle écarta les cuisses sans la moindre pudeur, fit mine de se retourner pour chercher quelque chose, cligna de l'œil aux deux hommes, enfin décida de souligner le petit marigot qui se desséchait sur sa peau. Elle utilisa son rouge à lèvres. Ce second tracé, carminé, vaguement huileux, gâcha ce que le premier avait de hasardeux et de provoquant. Giulio détourna la tête. Il avait déjà subi vingt fois la scène. Un tube de rouge sur une peau très blanche, Nuccio Nelli jadis avec sa Bavaroise saoule, les voitures sur les berges de l'Averne, aussitôt le love-parking, les putains du Dieu des dieux, le ventre de Prométhée grand ouvert aux charognards. Tous les ingénieurs au festin !

Eloïse se caressa la cuisse très haut, effleura l'entrejambe, se caressa le sexe en écartant les doigts comme des ailes d'oiseau.

L'infirmier-chef entra soudain dans le pavillon. Il évita le groupe de psalmodieurs, longea le banc de la petite hystérique dont il claqua les fesses, et vint directement au couvreur.

« Ferratti, votre repas est revenu intact, comme d'habitude. Cela ne peut plus durer. Vous devez vous nourrir, Giulio. Il faut s'alimenter. L'interne de garde vous attend à dix-sept heures dans son bureau, il veut vous parler. »

Giulio pensa refuser le rendez-vous comme il le faisait depuis le premier jour, mais quelque chose l'en empêcha.

« J'ai de la visite. Mon ami Pichard vient aux renseignements. Il trouve que ce n'est pas très présentable, ici. Il dit que je ne devrais pas rester. Il se rebiffe. Il n'aime pas votre cafétéria... »

Puis il poursuivit à l'intention du boucher :

« Chacun peut en profiter, d'Eloïse. Tu l'auras remarqué, Maurice. Comme d'Eurydice... Sauf que la petite Eloïse se laisse flatter la croupe sans réagir. Si elle essaie de réagir, pas de tranquillisant. Pas de piqûre le soir. La camisole jusqu'au lendemain. Le monde entier aime lui claquer les fesses.

– Dix-sept heures, Ferratti.

– Les fesses, elle n'en a guère. Mais le reste, elle le montre, c'est humide, ça attire, ça existe sans problème. Pas de secret chez elle... Tentant et pas caché, pas caché du tout.

– Laisse tomber. Cherche pas à comprendre, Giulio.

– Tu as raison... »

Jadis, il avait cherché à comprendre, à comprendre l'Averne et ses légendes, comprendre Agathe, les pèlerins du lac, apparier leurs larmes et leurs galipettes, accoupler Pluton et Proserpine, mais peut-être sans heurt, en plein ciel, tout près des arbres et du ponton, près de la treille Pisone. Giulio savait qu'ici, à l'hôpital, rien ne changerait vraiment. Eloïse allait se balafrer la cuisse, le sang coulerait, le sang sécherait, l'infirmier-chef et les internes évoqueraient des perversions parentales, lui caresseraient le bas-ventre à l'occasion, lui chatouilleraient le menton, guetteraient son cycle menstruel. En vain. Giulio soupira. Eloïse cachait un vrai sabre de coiffeur dans son sac, de quoi défigurer le premier venu.

Il se leva, attrapa le garçon boucher, repoussa la banquette avec fracas.

Ce remue-ménage eut pour conséquence immédiate de ranimer la pendule des deux dérangés qui, plus disloqués que jamais, s'affaissèrent avec trois minutes d'avance sur l'horaire. Ils pressèrent leur main sur le sol plastifié de la cafétéria, puis se relevèrent en révulsant les yeux. Giulio ricana.

« Je ne vais pas m'attarder davantage, lança-t-il à l'infirmier. D'après ce que je sais, rien ne m'empêche de partir de ce pavillon. Pichard est mon témoin. Vous pouvez tout confirmer devant lui. Je réside ici de mon propre chef, n'est-ce pas, sous le régime du placement volontaire ? »

L'infirmier bredouilla quelque chose comme un assentiment.

« Deux ou trois journées supplémentaires d'observation. C'est la règle quand on s'en va, n'est-ce pas ? Il faudra aussi appeler mon médecin au Sonnant, le docteur Touraine, qui signera la décharge…

– On ira voir *Orphée* ? demanda Pichard, tout heureux. On prendra des places pour ton truc ?

– Pourquoi pas… Il faut apprendre ce côté-là aussi. Connaître un peu l'histoire.

– Pas besoin de connaître l'histoire !

– Orphée, c'est un poète. Il a ramené son amour de chez les morts. Sortir son amour de chez les morts ne suffit pas. Il faut encore vivre sans rien espérer, rien attendre. Ne pas se retourner. Orphée a tiré Eurydice vers la vie, mais il s'est retourné au dernier moment sur mon lac. Eurydice est repartie aux Enfers, morte une deuxième fois. On n'a pas le droit de se retourner. Tu comprends, Pichard ? Eloïse, elle, ne se retourne jamais.

– Je comprends que tu sais trop de trucs. Ça te prend la tête, Giulio.

– Tu devines quoi ?… »

Pichard resta silencieux.

« Pensez à votre rendez-vous avec l'interne ! » intervint l'infirmier d'une voix neutre.

Ferratti se leva, sourit à la gamine qui boudait, attrapa son manteau et partit vers les cuisines en tirant trois chaises derrière lui. Les tubulures s'entrechoquèrent bruyamment. L'un des sièges crocheta le pied d'une table. Le vacarme décupla dans la cafétéria. Le couvreur voulait ameuter tout le service. Maurice lui courut après. Giulio continua son tintamarre jusque devant le visage réjoui de l'infirmier. Là, il hésita, s'arrêta net, s'inclina, tourna les talons. Il revint sur ses pas avec son attirail, tirant à nouveau les chaises longues, la table renversée. Il remit soigneusement chaque objet en place. Pour finir, il claqua très calmement les fesses de la petite hystérique. L'autre fronça les sourcils.

« Trop heureux de me voir flancher, n'est-ce pas ? Ne vous réjouissez pas trop ! Je devine chacune de vos réactions. C'est précisément maintenant que je dois m'en aller. J'ai fait le tour. Je vous enverrai un petit livre en souvenir, dédicacé à l'ensemble du personnel, le livre de chevet de ma mère : *L'Amour des âmes*, par saint Alfonso de Liguori. Ça vous donnera à penser… Tu me le rappelleras, Pichard ? L'amour des âmes, ça fait désordre, dans un service comme celui-ci ! Comme Eloïse… Malgré tout, un jour ou l'autre, il faut aussi entrevoir ce qu'on méprise. Au moins une fois, et puis tirer sa révérence… Nous sommes des légumes, pas vrai ? Des simplets, des débiles. Tous des légumes ! »

Giulio partit en sifflotant.

L'air du *Pont de la rivière Kwaï* lui vint naturellement aux lèvres. Il fit la grimace, mais l'entonna tout de même et constata qu'Eloïse stoppait à la seconde son manège. Maurice Pichard s'était rhabillé pour partir. Il s'immobilisa lui aussi au beau milieu de la cafétéria. L'infirmier hésitait. Eloïse devina qu'une décision se préparait, un événement dont on parlerait en réunion. Elle choisit de remercier son bel amant en reprenant mezzo voce la vieille rengaine du travail, de la gaieté obligatoire, de l'entrain décati. Elle commença à chanter doucement, mais n'obtint aucun résultat. Alors elle s'enhardit, leva sa jupe jusqu'à l'aine, montra l'estafilade, se caressa l'entrejambe, puis siffla si juste et si puissamment que Giulio en eut presque peur. Les quatre trisomiques y allèrent de leurs déhanchements. L'un d'eux, au grand dam de l'infirmier-chef, parvint même à tirer de ses lippes une roucoulade enchanteresse qui, au bécarre près, épaula la prestation vocale des pensionnaires du service des Glaïeuls.

Giulio salua jusqu'au sol.

3

« On va retrouver un ami ! » lança l'étudiant.

Luc Avelin se harnacha. Trousse entendit le claquement des deux mousquetons et le grincement caractéristique de la balancelle. Il sentit un vent le traverser, qui l'ébouriffa, le laissa haletant dans sa niche. L'idée de sortir, de braver comme autrefois la populace du Sonnant, lui faisait presque peur. Il faillit renoncer. Il regarda ses pattes en inclinant la tête. Ses pattes ne valaient rien depuis l'échauffourée du Baronnet, et on avait dû lui confectionner un instrument de torture pour les promenades. Trousse était baladé suspendu et honteux dans une sorte de culotte de cuir fauve percée de deux orifices par où on glissait ses moignons. La balancelle oscillait sur un axe cintré, en forme de gloriette, que Luc se fixait à l'épaule. Un présentoir de cirque. Le pire traîneau qui se pût concevoir pour un arrogant de la race des Trousse-galant.

De fait, le perroquet parlait moins, ne mangeait plus beaucoup. A longueur de journées, il espérait et craignait les promenades. La privation de liberté l'affectait au point qu'il aurait enduré n'importe quoi pour gagner cette balade mortifiante, enfourcher une fois encore son appareil de purgatoire. Parfois, dans la solitude ombrée de la nouvelle cage, dépiautant des paquets de tournesol, il lui arrivait de rêver aux îles lointaines où avaient paru ses ancêtres. Ses paupières se fermaient alors doucement, façon volet corné, deux petites jalousies d'écaille. Au-delà de ces phanères primitifs, absolument dépourvus de cils, perlaient de temps en temps des larmes. Trousse les gobait.

« On va retrouver Caronte ! »

Le perroquet hocha la tête et déplia sa huppe. Après un temps de réflexion, l'oiseau choisit de manifester son contentement en dévalant à l'envers, sur le bec, la claie métallique qui fermait son domaine. Trousse-galant n'avait plus répété ses numéros depuis l'accident. Il réussit malgré tout cette parade qui, il n'y avait pas si longtemps, n'aurait provoqué chez lui que sarcasmes et grattements de la sous-clavière. Par malchance, il trébucha en fin de course et dut atterrir assez piteusement contre le clapet de l'abreuvoir. Il essaya de se raccrocher au premier objet, l'os de seiche, un reliquat déjà passablement entamé qui craqua puis se fendit tout du long.

« Plus de ton âge ! gronda Luc Avelin. Garde tes exhibitions, mon Trousse ! Tu me fends le cœur…

– Merde au cul ! fit l'oiseau avec son indéfinissable pointe d'accent vaudois.

– Allez, vas-y, râle, proteste, défends-toi ! Tu paies assez cher tes anciennes impertinences de fol, mon estropié. Oublie ta période dorée et contente-toi d'être en vie. Un autre que moi t'aurait largué chez le vétérinaire. Et sans excuse, trop heureux de t'épargner de la souffrance. En général, les hommes n'apprécient pas les éclopés…

– Merde au cul ! répéta le perroquet en se renfrognant.

– Et les bêtes ne font pas mieux. Elles s'achèvent les unes les autres, impitoyablement… Profite de ta chance, Trousse. Cesse de reluquer tes moignons. »

Le perroquet devenait sentimental.

Il se laissa saisir sans résister. Une fois dans les

bras du jeune homme, il roucoula, plia et déplia la crête en un geste de soumission d'une ineffable tendresse. Il rampa jusqu'à l'aisselle du garçon, ce havre de paix et d'odeurs. Il y enfouit le bec en gémissant.

Dehors, il faisait une tiédeur délicieuse. Luc oublia son perroquet dès le premier contact avec ce soleil voluptueux. Il pressa le pas. La ville resplendissait de nouveau. Il pensa aussitôt à Hélène. C'était le jour des enfants. Luc attendit à l'angle de la place Bénicroix, sous les marronniers, espérant voir la petite classe dévaler sur les trottoirs de l'avenue. De fait, l'institutrice apparut, comptant furtivement les perrons, effleurant les balustres. Les enfants babillaient autour d'elle. La lumière était comme neuve. Luc appela, ralentit la cavalcade. Hélène Vallier eut un geste d'esquive. Il se mit à courir. Le perroquet Trousse-galant en fut tellement secoué que ses vieilles malédictions lui revinrent en bloc. Il les éructa l'une après l'autre, une fois le groupe d'élèves rattrapé sur la place. Puis il replia sa huppe et se laissa balancer. Les enfants étaient fascinés, ils n'avaient d'yeux que pour lui.

«Je n'ai pas le temps, Luc. Nous devons descendre au parc.»

Ils se retournèrent. Ils regardèrent le barrage

au loin, les marronniers. Ils étaient heureux. Luc lui prit la main. Trousse se renfrogna davantage. Au moment de dépasser le porche de la cure, Hélène fit un geste curieux: elle se passa la main devant les yeux à deux reprises; puis elle s'arrêta net.

Là, au pied du grand escalier de l'église, alors que rien ne l'annonçait, une bouffée de vent absolument fétide les gifla tous deux. Ils revirent brusquement les cortèges, Pichard et ses bouts-du-monde, Raymonde ensevelie, la procession de suiveurs égaillée dans l'avenue, Giulio Ferratti tombant sous les coups de Motardon.

Hélène fixait la place Bénicroix et l'église grande ouverte. Les oiseaux piaillaient entre les branches d'arbres. Les soubassements de pierre étaient couverts de fientes. L'institutrice se cacha le visage.

« Que faire ?... balbutia-t-elle.

– Tu penses encore à lui, hein ? Tu y penses tout le temps.

– Comment continuer après ça ? J'ai peur, Luc. Toi aussi, la peur...

– Peur de quoi ?

– Rien de spécial. Ça donne mal au ventre... »

Elle tourna la tête, se cacha des enfants.

« J'ai vu un prospectus sur l'Italie du Sud.

Naples, la région de Cumes. Nous devrions y aller.

– A Naples ? Aller jusque là-bas…

– Seulement pour comprendre, Luc. Cela nous empêche de vivre, ces questions, ces événements qui ne collent pas autour de lui. C'est tout de même son lieu, l'Italie du Sud, son pays d'origine.

– Giulio est hors de danger.

– Il est toujours à l'hôpital. Et tu sais dans quel hôpital, Luc. Et tu sais comment il m'aimait. Peut-être qu'avec ton appui… Il m'aimait comme un recours. Une ressource. Sa ressource. Peut-être seulement ça. »

Luc s'arrêta. Il embrassa la jeune femme devant ses élèves, puis partit avec son animal sur l'épaule. Au premier croisement, il se retourna. La ville paraissait sous son jour le plus radieux, légère, pétillante. Malgré tout, Ferratti leur collait à la peau. Luc Avelin voulut aller interroger le gros Pichard dans la rue d'à côté. Maurice Pichard, l'homme aux bouts-du-monde, qui officiait sagement dans la boucherie paternelle. Mais l'étudiant renonça. Il partit dans l'autre direction. Il fit quelques pas et se mit à rire d'un rire nerveux qui dégomma Trousse-galant de son perchoir. Il regarda le ciel, écouta les oiseaux. L'épilogue dramatique de la manifestation ne les lâchait plus… Il voulut descendre jusqu'au lac, suivre une à une les cascades de l'Yeuse, comme il le faisait enfant. Le perroquet protesta. Il l'assura sur son épaule, lui chatouilla le menton. Hélène rabâchait exactement comme Trousse-galant dans sa nacelle. Seulement Hélène l'aimait. Le perroquet, lui, était malade. Luc hocha la tête. Il enfila la rue Daurand.

Le pavillon se trouvait dans l'état où l'avait laissé le couvreur le jour de l'enterrement. Nul n'y avait pénétré depuis lors. Un manteau et deux cravates pendaient au dossier du fauteuil, une boîte de cirage achevait de sécher sur la table, avec un croûton de pain, les reliefs d'un repas. Une pile de factures traînait devant l'assiette, un stylo, un verre de vin moisi.

La poussière recouvrait les meubles et les chaises, voilant peu à peu cette tranche d'existence interrompue. Luc déposa Trousse-galant sur une commode et se mit à ranger. Il décolla les restes indéfinissables du repas, sortit la poubelle de sous l'évier, tenta de laver la vaisselle à l'eau froide. Il rangea les livres de comptes, puis les vêtements de son ancien rival dont le simple contact lui semblait procéder à la fois du vol et du viol, de l'insanité. Après une heure de ce ménage, il éprouva le besoin de retourner au jardin, dans la végétation, sous le bon soleil de mai. Il s'assit sur un banc, mécontent de lui-même. Ses yeux coururent un temps parmi les arbres, autour de la boîte à lettres qui débordait de prospectus. Il réalisa qu'il n'avait pas encore vu le chien.

Il dénicha Caronte au fond du jardinet, derrière un réduit, prostré dans ses immondices. L'animal geignait. Autour de lui, les mouches bourdonnaient dans des boîtes de conserve.

« Pauvre vieux ! Je crois bien deviner d'où tu sors. De même que ton patron. Te voilà réduit à guetter les poubelles, comme probablement Ferratti les somnifères... Giulio dépérit à vue d'œil. Tel chien, tel maître, n'est-ce pas ? Tu es maigre comme un clou. »

Caronte agita le museau.

« Nous allons te sortir de ce bouge. Tu découvriras l'autre monde, espèce de drôle. Les repas, les niches, les parquets cirés, les maisons cossues de l'avenue des Flandres. Tout ce qui fait rêver le gros Pichard !... Pichard, tu te souviens de lui ? »

Le chien le regarda en mouillant les yeux. Il inclina la tête, puis les oreilles et lorgna prudemment l'épaule de Luc. Le perroquet restait embusqué dans sa balancelle. Le chien Caronte marqua une dernière hésitation. Il prit sa décision avec un soupir. Il fourra la truffe à l'intérieur de la veste de Luc.

«Je ne fais que passer... protesta l'étudiant. Un simple relais, un intérimaire.»

Le chien ne l'entendait pas ainsi. Il se mit à chahuter son nouveau maître, voulut jouer, le lécha tant et plus. Il fallait sceller leurs retrouvailles. Luc finit par obtempérer. Les boîtes de pâtée volèrent bientôt dans le jardin. Le chien essayait de les broyer au passage, mais, la plupart du temps, elles se fracassaient contre le muret. Le perroquet, prisonnier dans son lange, se scandalisa de ces jeux de gamins. Il protesta un bon moment puis, alors qu'il se renfrognait, fut soudain déséquilibré, propulsé hors de la balancelle. Il dut prendre son essor en catastrophe.

Trousse avait oublié les délices de l'apesanteur. Il vola comme un ange. Il sentit immédiatement la réponse de l'air, la pesée de l'air sous ses rémiges. Il vola. Une fois accompli ce prodige, après qu'il eut voleté tout son saoul au-delà du parc, le perroquet se retrouva dans la pire des situations. Ses petits moignons l'empêchaient absolument d'atterrir. Il remua encore un temps tout là-haut et gémit, désemparé. Puis, condamné à brasser le vide, il préféra déchoir sans tarder. Il se laissa tomber comme un chiffon. Il rebondit lourdement dans le massif de thuyas, repliant derrière lui ses petits membres. Il demeura ainsi prostré, une aile à moitié rompue, l'autre protégeant ce qui lui restait d'appuis, accroché à sa branche, bringebalé par la bise...

Caronte, le chien teigneux du Sonnant, prit alors conscience de la tragédie qu'était devenue l'existence du perroquet Trousse-galant. Plutôt que de profiter de la situation comme l'ordonnait son instinct, le bâtard rampa sur le ventre jusqu'au buisson où gisait Trousse. Il perçut son odeur d'oiseau, le taquina, le tourna du museau, le plaisanta, le huma et le cajola avec une telle bonne foi que l'autre, qui voulait lui lacérer la truffe, finit par se détendre à demi.

Cinq minutes plus tard, le perroquet des Avelin abandonnait d'un coup, à la manière définitive et irréprochable des bêtes, ses anciennes préciosités de rombière. Il acceptait sans retenue les privautés du cerbère. Il s'y abandonna si totalement que l'autre parvint à saisir délicatement le bel oiseau des îles entre ses deux babines d'enfer et à le ramener jusqu'à l'épaule de leur maître commun.

Luc les embrassa.

4

Pas question de quitter le chef des yeux. C'était un homme rondelet, à demi tonsuré, gardant les épaules très droites sous un habit noir qui l'engonçait. Lorsqu'il lançait la mesure, son petit torse basculait en avant d'un coup et venait frôler le bord du pupitre. Parfois, le frac voletait sur la lampe du lutrin ou même touchait l'archet du premier violon. Le maestro ne mégotait pas. Il se démenait comme un diable. Il dirigeait à la va-t-en-guerre, exposant sans détour son engagement émotif, sa très fervente lisibilité corporelle. Il se dépensait sans compter.

A cause de cela, le docteur sentit qu'il serait incapable d'apprécier la musique. Il était accaparé par les pantomimes de ce petit corps acharné. Il ne pouvait se retenir de l'étudier, considérant chaque gesticulation, imaginant les boutons de fièvre couvant sous l'habit, la sudation collant à l'extérieur, derrière la chemise, et surtout, dans ce tohu-bohu, les plaintes secrètes et réitérées des intestins menant leur cargaison tant bien que mal. Ces observations prégnantes et ridicules l'agaçaient et l'amusaient à la fois. Vraiment, le petit ventre du chef s'accordait mal à la mesure. Il ballottait, il se dépliait à contre-emploi. Il dérangeait sans cesse les partitions.

La musique accomplit des miracles. Pierre Touraine, ce soir-là, pensa que rien de ce genre ne lui serait accordé. En fait, il n'avait pas envie de musique. Il avait envie de rire. Une affreuse envie de rire. Chaque nouvel exploit du chef le faisait pouffer, spécialement quand il fonçait en avant pour envoyer ses ordres à la petite troupe de nymphes en tutu qui guettaient derrière les praticables. Le maestro se penchait, plissait le front d'un air franchement mécontent, serrait les mâchoires et, d'un coup, balançait l'ensemble de son visage frémissant et exalté vers les dorures du plafond. Tout sans exception : le menton, les paupières, les narines, la baguette, et même la frange clairsemée qui lui battait le front et qui, sans contredit, lançait les chœurs à la seconde.

Le docteur pouffait. L'homme, hormis cette mèche de cheveux, était quasiment chauve. Pierre Touraine jeta un œil inquiet sur sa voisine. Il se tenait le ventre. Il avait honte. Claudio Monteverdi ne lui valait guère mieux que du lait caillé.

Le premier acte se déroula de la sorte, sous les redondances d'un chef lilliputien et, pour le docteur, à mille lieues d'une musique qu'il savait sublime. Bientôt, suite à un jeté de menton spécialement directif, un pan de flanelle grège vint battre les jambes du maître puis apparut subrepticement derrière la queue-de-pie. Pierre Touraine regarda autour de lui. Personne n'en semblait incommodé. Le docteur finit par accepter son sort. Il se renfrogna, posa les mains sur son diaphragme, pressa ce qu'il fallait presser avec une détermination qui aurait chagriné sa clientèle. Les autres écoutaient religieusement.

Orphée chanta l'amour de sa belle Eurydice. Les bergers inclinèrent leurs joues fardées et leurs bouclettes vers un Apollon qui veillait dans des nues de carton. Un sautereau resta coincé au clavecin de droite. Le chef perdit deux cents grammes à cette occasion et laissa filer un peu plus bas son pan de flanelle incolore. Le docteur, que mille ricanements travaillaient à mesure qu'il en repoussait un, se sentit plus seul que jamais. Il faillit ficher le camp.

Puis la fatigue gagna. A quoi servait-il de lutter ? Il n'était pas vraiment amateur d'opéra. Souvent, lors de sa pause journalière dans le grand salon, il lui arrivait de penser que la voix humaine, avec ses colorations organiques, respiratoires, vagales, gâchait en quelque sorte l'abstraction mystérieuse du son. Le chant, sous prétexte d'agrandir la musique, la ramenait la plupart du temps à une variété de prière. Pierre Touraine avait toujours redouté la prière. Aujourd'hui plus que jamais.

Sur scène la lumière baissa, la mélodie s'assombrit, gagna en solennité.

La Messagère annonça la mort de la belle Eurydice. La voisine du docteur émit un chapelet de petits sanglots qui la soulagèrent visiblement. Pierre Touraine la regarda avec tendresse. Son corps s'appesantit peu à peu. Il perçut les vibrations de l'orchestre. Il écoutait maintenant, il compatissait. Puis, sans vraiment s'en rendre compte, alors que tout laissait prévoir le contraire, il perdit pied lui aussi, cessa de fixer les mimiques du bassoniste, la flanelle débraillée du chef ou le maquillage des choristes pour aborder, à sa manière nouvelle et immodérée, l'âme même de la musique.

Passé la complainte des bergers, alors que

retentissaient les grandes pulsions orchestrales annonçant qu'Orphée allait descendre dans les profondeurs des Enfers, le docteur ferma les yeux. Il fondit brusquement, il partit d'un coup dans la musique, sans la moindre transition, amplifiant la vague mélodique comme jamais, pénétrant le cœur des sons.

Orphée chantait l'amour.

Le maître des lieux, Charon, gardait jalousement l'accès de son domaine. Il l'interdisait aux vivants. Ce qui se jouait là touchait à la destinée des hommes et le docteur y prenait part. Il communiait soudain, il découvrait le monde. Pierre Touraine faillit bien connaître ce soir-là, et à son corps défendant, la révélation de Raymonde Vallier sur son lit d'hôpital. Le rire l'en avait approché. Il ne formula rien. Il devina que la mort est un son. La mort tournoie sans fin dans l'enclume des sons. Elle fauche et démantèle à l'avenant, mais finit là elle-même, emprisonnée par la musique. La conscience du docteur cheminait sans peine aux côtés de cette mort aphone.

Deux personnages échappaient simultanément à cette emprise : Luc Avelin, qui guettait du coin de l'œil, et puis Maurice Pichard, au poulailler, que ce déferlement de musique effrayait et qui avait vraiment envie de tailler la route. L'étudiant et le docteur croisèrent leurs regards. Luc sourit. Le docteur inclina légèrement la tête.

Sur scène, Orphée s'entretenait avec l'Espoir. A l'impressionnante solennité du dialogue, on devinait que le héros endeuillé s'apprêtait à suivre son destin. Il irait donc braver Pluton et les Enfers. Il partirait reprendre son Eurydice au royaume des morts… La grande vague sombre des trombones envahit le lieu. La musique bascula du côté des ténèbres. La nuit se fit. Ne restèrent, sous les cintres du petit théâtre à l'italienne du Sonnant, qu'Orphée, le poète mortel, et le terrible Nocchero accompagné de son chien… L'interrogation du Nocher fit trembler l'assistance. Tandis que le poète ornait tant et plus sa réponse, le docteur Touraine, ramené brutalement aux préoccupations de l'heure, laissa échapper un cri qui agita les premiers rangs de l'orchestre.

« Quel idiot je fais ! lança-t-il en attrapant la main de sa voisine. Charon !… Caronte !… C'est bien ainsi que Ferratti appelle son mauvais bâtard ? »

Là, ses voisins qui, eu égard à sa personnalité, s'étaient abstenus jusqu'alors de réagir, toussèrent avec ostentation. Le docteur cessa ses bavardages. Luc Avelin eut de nouveau un bref sourire.

Sur scène, le plaidoyer du poète s'achevait. La

sombre Sinfonia résonna une seconde fois, plus sinistre que jamais, suivie par le chœur des Esprits. Le médecin voulut à nouveau pénétrer la musique, s'y abîmer, mais la diversion du Nocchero se mouvait d'elle-même, parallèlement, forant son esprit et sa mémoire au point que le praticien, ainsi parasité, n'eut d'autre recours que de s'attarder de nouveau au grotesque, aux détails, recouvrant ses jeux et sa nervosité du début. Il surveilla jusqu'à la fin les gesticulations du chef.

Puis il se leva en pleins applaudissements et fila au-dehors. Il attendit sous un porche, en retrait, intercepta Luc et l'institutrice avant d'être lui-même pris à partie. L'étudiant devait rechercher sa voiture. Pierre Touraine proposa à la jeune femme d'aller à pied. Pichard les vit ensemble, mais ne s'approcha pas.

Le docteur prit Hélène par le bras.

« Nous ne nous sommes plus revus depuis l'enterrement, depuis le Baronnet…

– C'est vrai… Je m'habitue. J'oublie peu à peu. Luc achève sa thèse. L'école m'occupe beaucoup.

– On ne se lasse pas des enfants, n'est-ce pas ? On n'en finit jamais avec eux.

– Jamais.

– Et Ferratti ? »

La jeune femme le regarda sans parler.

« Il vous aime, ma pauvre amie.

– Vous exagérez.

– Souvenez-vous. Il a commencé par reboucher la tombe de votre mère. Puis il nous a rattrapés dans la côte. Il a résolu d'un coup le mystère de ma poterie étrusque. Enfin, au sommet, il est venu se déclarer, vous offrant le plus remarquable des anneaux antiques. Comment résister à cela ?... Cet homme est une énigme. Il se déclare et, aussitôt, il s'écarte. Il fuit. Un peu plus tard, il s'effondre sous les poings du colleur d'affiches. Là, il frôle la mort dans l'indifférence générale, alors qu'on évacue en grande pompe trois ou quatre petits enrhumés, plus le perroquet des Avelin !

– Où voulez-vous en venir ? »

Le docteur ouvrit sa porte et la fit entrer au salon.

« Nulle part. Sinon à vous parler de Giulio. Il est à l'hôpital. Il ne va pas très bien.

– Luc est également inquiet, murmura l'institutrice.

– Pas vous ?

– Si, confessa-t-elle.

– Il y a eu des incidents à l'hôpital. Le dernier en date est assez sérieux. Ferratti devait réaliser un galandage dans le cadre de l'ergothérapie, une sorte de cloison. Il a monté ses briques comme prévu, mais il s'est enfermé derrière. On a dû le sortir par l'extérieur, avec une échelle, casser les vitres, etc. Il a berné son monde. Bien entendu, on lui a supprimé les sorties, augmenté fortement sa ration d'haldol. Giulio est plus sombre, plus immobile que jamais. Le plâtre et les cloisons viennent d'être rayés des activités des Glaïeuls. Tout cela n'affecte que modérément notre couvreur. Le plus ennuyeux est qu'il y avait un autre témoin, une jeune malade qui s'est mutilée devant lui.

– Gravement ?

– Eloïse. Elle s'est déchaînée dès l'instant où Giulio a disparu derrière son mur. Elle a commencé par taillader l'interne et les deux infirmiers. Puis elle s'est mutilée elle-même. Une vraie folie… Ça n'a duré que quelques secondes à peine… Elle est très mal en point.

– Giulio ?

– Il se tait. Eloïse lutte aux urgences depuis trois jours. Tous les deux se connaissaient bien, semble-t-il. Cette mésaventure leur vaut une étrange réputation… »

L'institutrice resta silencieuse. Elle s'appuya contre la cheminée, regarda le trumeau. Ses doigts caressèrent le cadre en bois. On distinguait un amas de brumes, tout en bas, comme une nuée de plâtre venant mourir sur le rebord, les limites d'un ciel.

« Voilà qui lui plairait à coup sûr, dit-elle pensivement.

– C'est une allégorie. Ce décor remonte au siècle dernier. Il représente les amours d'Ixion, une histoire désolante…

– Toutes vos histoires sont désolantes.

– Peut-être… En tout cas, ce pauvre Ixion eut un jour la bien mauvaise idée de tomber amoureux de l'épouse de Jupiter, Junon en personne, la gardienne des liens sacrés du mariage. La reine des cieux décida de se débarrasser de son prétendant en modifiant son apparence. Regardez les nuages. Ils sont en plâtre, mais très bien faits. On devine un corps là-dedans, un corps de femme. La déesse Junon se cache sous ces nuées, elle y maquille ses rondeurs. Ixion va tout de même l'étreindre. Il va embrasser follement ces nuages, ces chimères. Il ira se perdre dans leur velours magnifique, jusqu'à être châtié de son audace. Junon l'attachera là-haut, sur cette roue en feu qui ne cesse de tourner. La roue du temps, la roue d'Ixion. De ces étreintes illusoires naîtra tout de même un peuple : le peuple des Centaures. Étonnant, n'est-ce pas ?

– Ferratti n'est pas de ce monde-là.
– Pourtant, il en parle.
– Il ne sait rien.
– Autrefois, la mythologie revenait à chacun, Hélène... A Giulio Ferratti comme aux autres. Ensuite, on a prétendu décrire le monde dans sa totalité, sans histoires, sans mythes, sans légendes. Ce fut une fracture. Ce que les artistes ont abandonné là, les penseurs se le sont aussitôt approprié. Voyez la psychanalyse.
– Giulio s'en fiche. Tout le monde s'en fiche, docteur. Personne n'étudie vos histoires désolantes.
– Alors, qu'enseignez-vous ? Qu'apprenez-vous aux enfants ?
– A ralentir.
– Pardon ?
– A ralentir, à lever le pied. Savoir qu'on peut encore aller lentement. Actionner lentement un robinet, tourner lentement les pages d'un livre, pencher lentement la tête... Je leur montre que du temps s'écoule avant, pendant, après chaque geste. Rien d'autre. Ce sont des petits... Avec eux c'est facile. Ils sont très toniques, ils ont vraiment besoin de s'arrêter. Je leur propose des choses simples. Ensuite, bien sûr, ils devront apprendre à lire et à écrire. Et ils se mettront à zapper... »

Hélène se prit la tête dans les mains.

« Luc prétend que nous avons une dette envers Ferratti, reprit-elle. Il veut comprendre ce qui s'est passé. Il veut savoir pourquoi le sort s'acharne ainsi sur cet homme : les quintes de toux, le Baronnet, l'accident, l'hôpital. Encore une histoire désolante. Luc est un peu comme vous, docteur, fasciné par les perdants. »

Pierre Touraine sourit.

« On va voir mes colombes ? »

Il guida Hélène jusqu'au clavecin (W. Dobson, 1749) derrière lequel ouvrait un cagibi. Le docteur manœuvra une glissière à peine plus épaisse qu'un carton et dévoila le domaine des colombes sous un petit panonceau en trompe l'œil. Cette pièce minuscule était ventilée par une sorte d'œil-de-bœuf ajouré à mi-hauteur, garni d'un feston de tuiles romanes. C'était assez pour les oiseaux. La cage, en lames de cuivre et de fer-blanc, plutôt austère, se balançait au-dessus d'une plaque de marbre qui disparaissait sous les crottes et les graines de tournesol.

« Je ne nettoie qu'une fois par mois. Mes colombes n'aiment plus les visites ; ce sont de vieilles personnes. Elles en ont presque fini avec l'existence. Elles patientent dans la pénombre comme les meilleures bouteilles. Elles ne chantent plus depuis belle lurette. Lorsqu'elles se chamaillent, c'est en silence, et pour une simple goutte d'eau, un petit centimètre de perchoir…

– Les pauvres !

– Imaginez qu'elles sont sorties de leur mutisme le jour où Ferratti m'a ramené Pichard. Giulio prétendait les entendre depuis la salle de soins. Je soignais les blessures du boucher et lui, en bas, les entendait roucouler !… Il dit qu'elles s'aiment encore.

– Elles voient mal, semble-t-il.

– Aveugles, complètement aveugles. Pourtant, elles se débrouillent. C'est leur domaine.

– Docteur… J'ai toujours l'annelet de Giulio. Vous vous en souvenez ? Nous l'évoquions, tout à l'heure.

– Pensez donc ! Vénus et l'Amour archer. Une merveille…

– Je dois le rendre. Je ne peux plus le garder. Je vous le laisse.

– On ne laisse pas une alliance ! gronda le médecin. On n'abandonne pas ces objets. Il ne fallait pas l'accepter, Hélène… Conservez la bague. N'en parlez plus. Vous la lui restituerez le moment venu. »

L'institutrice ouvrit brusquement son sac à main, sortit l'étui, déplia la cartouche.

«Je crois que l'anneau a sa place ici. Il ne m'appartient pas», dit-elle d'un ton sans réplique.

La jeune femme ouvrit la cage, saisit la première colombe, la plus fluette, qu'elle posa délicatement contre le flanc de son petit compagnon. Le perchoir oscilla, les oiseaux parurent ne pas se connaître. Hélène dégagea le rondin claveté de la balancelle et gratta l'épaisseur de fiente. Elle parvint à y forcer la bague. Elle remit tout en place, le petit trapèze nouvellement serti, l'abreuvoir, l'oiselle près de l'anneau de bronze. Elle soupira.

«A cadeau étrange, étrange relégation… Savez-vous que ma mère aurait adoré ce réduit, ce panonceau, ce trompe-l'œil, cette lumière dans les tuiles, ces deux colombes aveuglées?»

Le docteur la prit dans ses bras.

«C'est elle qui me les a offertes, dit-il en la regardant sans ciller. C'est elle qui me les a données. Elle, ma petite Hélène! Il y a peut-être douze, quinze ans de cela. Vous voyez les secrets qui nous lient…

– Pourquoi avouer ça?

– Par accommodements, Hélène… Je comprends mieux Ferratti. Raymonde était faite comme vous, acceptant tout sans ressentiment. Vous prenez les choses comme elles arrivent. Rien ne vous étonne: la folie de Giulio ne vous surprend pas plus que l'âge de mes colombes, ou que leurs secrets, ou que mes anciennes frasques avec votre mère, ou encore que vos récentes fiançailles, ou que les amours d'Ixion… Rien ne vaut les trois pas qui vous mèneront tout à l'heure de chez moi à l'avenue des Flandres, n'est-ce pas ? La lumière du soleil, le chant des passereaux dans les platanes, ou les brumes sur le lac, les grosses larmes de vos gosses à l'école, le rosbif qu'il faut commander pour le week-end…

– Oui.

– En fait, je voulais vous parler de Giulio. J'ai pensé aussi à Maurice Pichard, le boucher. Ils se connaissent assez bien, n'est-ce pas ? Il lui a prêté main-forte sur le parvis de l'église. C'est le seul qui ait eu le cran de s'opposer au vigile. Seulement, son père ne veut rien entendre.

– Savez-vous ce que me raconte Luc ? » demanda soudain l'institutrice.

Pierre Touraine eut un mouvement d'humeur.

« Je pensais à ma mère, aux narcisses qu'elle aimait tant. Nous ne changeons pas, docteur. Pas de sujet, en tout cas. Ma mère est morte entourée de ces fleurs. J'ai pu lui en cueillir une brassée au dernier moment… »

Hélène resta un temps silencieuse avant de continuer :

« J'ai relu l'histoire de Perséphone endormie au milieu des narcisses. Perséphone était si belle que le dieu des Morts émergea soudain de son monde pour la prendre et l'aimer. De cet enlèvement allait naître le cycle des saisons. Perséphone, fille de la terre et de la fécondité, fut enfermée six mois durant dans les profondeurs de la nuit. Elle laissait derrière elle un monde stérile et froid. Puis elle s'échappa à nouveau, au printemps, pour la naissance des bourgeons. Ma mère est morte à cette période.

– Le rapt de Proserpine… On s'intéresse à la mythologie, quoi qu'on dise.

– Perséphone, Proserpine… »

Hélène revint en silence vers la cheminée. Elle caressa un instant le trumeau, suivit du bout des doigts les nuages de plâtre peint.

« Giulio Ferratti m'a tirée sur l'esplanade du Baronnet, dit-elle. Il a touché mes cheveux. Il m'a appelée Proserpina, il m'a traînée vers sa camionnette. Il criait devant les enfants, il criait n'importe quoi. Il voulait me garder avec lui…

– Giulio est malade. Son passé l'encombre. Il en est comme perfusé, sans aucun témoin pour l'aider, sans repère.

– Il a fui tout cela, docteur. Il dit lui-même qu'il est un fuyard. Il ne voulait plus entendre parler de rien. Maintenant, après toutes ces années, on ne peut pas réagir.

– Cumes, Pouzzoles, l'antre de la Sibylle, le lac d'Averne… Finalement, c'est là qu'il faudrait voyager.

– J'y ai pensé…

– Faites-le.

– Pour découvrir quoi ?

– Le genre de perfusion. Cela m'aiderait à y voir clair, à en savoir plus. Je suis son médecin. Ferratti veut sortir de l'hôpital. Je dois trancher.

– Ce ne sont que des ramassis de cruautés…

– Quoi ?

– Vos légendes, vos mythes ! Ce ne sont que des ramassis de cruautés.

– Et pourtant ils sont là. Ils nous ont faits, ils nous façonnent. »

La sonnette du bas retentit. Hélène et Pierre Touraine descendirent par l'escalier de la salle d'attente. La jeune femme jeta un bref coup d'œil sur le grand poster. Elle chercha la grotte. Les grands mélèzes roux resplendissaient inlassablement dans le crépuscule. Les glaciers bavaient en lui tirant la langue. Elle grimaça. Le docteur s'apprêtait à ouvrir la porte. Hélène le retint par la manche, se serra une seconde contre lui. Il posa la main dans ses cheveux.

« Giulio m'inquiète, dit-il en ouvrant à l'étudiant. Depuis ses frasques à l'hôpital il ne parle quasiment plus, sauf à l'occasion pour mentionner Pichard ou le Baronnet. Et parfois Eloïse… En tout cas, jamais son chien Caronte. »

*

Ce fut un long week-end. Chacun resta dans ses pensées.

Enfin, Hélène et Luc décidèrent de partir.

Ils se mirent en route trois jours plus tard, par un temps bas et pluvieux qui n'incitait à rien. Hélène avait deux semaines de vacances. Ils avertirent le docteur, s'engagèrent à donner des nouvelles, à écrire dès leur arrivée à Naples. Ils quittèrent la ville à l'aube, contournèrent le grand parc et le lac artificiel. Le brouillard était si dense ce jour-là qu'ils ne virent rien du paysage.

5

«Je ne sais par où commencer, se demandait Luc au premier paragraphe de sa lettre italienne. Peut-être par le moins important, le plus folklorique, le plus proche de nous ? D'abord j'ai envie de rire. Comment éviter ça, docteur ? Excusez-moi si je m'embrouille. En fait, nous balançons tous dans le tragi-comique et depuis trop longtemps. J'allais vous raconter nos découvertes quand, à la seconde, nous avons été victimes, Hélène et moi, d'un environnement nauséabond tout ce qu'il y a d'extraordinaire, parfaitement répugnant et irréel. Une véritable odeur de purgatoire. Impossible de l'ignorer davantage. Je commence par là.

« D'abord, bonjour… J'ai plaisir à vous imaginer au Sonnant, très confortable, assis dans votre salon au milieu de vos invraisemblables meubles en bois rouge. Vous avez retardé le moment de décacheter mon courrier. Lunettes et porto vous attendent sur le guéridon. Voici :

« Hier soir, pour oublier Giulio Ferratti, nous avions décidé de quitter le lac d'Averne. Il fallait prendre du champ, s'éloigner un peu de ces endroits. Nous comptions visiter Pouzzoles, puis peut-être rejoindre Naples par le bord de mer. Nous avons déniché notre campement après dîner, vers onze heures. A première vue, l'emplacement semblait idéal : ombragé, silencieux, éloigné de la route. Nous avons pris place sous des arbres. Tout est allé pour le mieux jusque vers trois heures du matin. Là une légère brise s'est levée et j'ai été réveillé, véritablement sorti des rêves croyez-moi, et en sursaut, par une odeur. Tiré du lit par une odeur !… C'est plus troublant qu'on ne croit. Je commençai par renifler les abords de ma taie d'oreiller, cherchant une origine à ces miasmes. Le camping était absolument silencieux. Hélène, à mes côtés, ne semblait pas incommodée. Elle ronflait comme un loir.

« Je tentai de me rendormir, mais fus poursuivi

jusque sous les draps. J'attribuais la puanteur à une usine du voisinage ou une décharge publique. Je me bouchai le nez, craignant le pire pour le lendemain.

« Au petit matin, en effet, les miasmes étaient omniprésents, l'air complètement saturé. Je m'éveillai de la même façon qu'en cours de nuit. Je sortis sur la pointe des pieds, sans déranger Hélène, pour voir quel genre de paysage nous réservaient ces infections. Au lieu des poubelles attendues, je découvris un bosquet de chênes magnifiques, quelques tamaris autour du cabanon que nous avions loué, un sol poussiéreux, rouge brique. Pratiquement pas de voisins. On ne voyait aucun immeuble, seulement une toiture au bout de la voie d'accès, là où nous avions laissé l'auto. La maison du gardien se profilait entre les chênes. Au loin, on devinait la route de Pouzzoles. Nous étions en pleine campagne. Le vert des arbres tranchait magnifiquement sur le rouge, l'ocre rouge des terres poussiéreuses qui nous entouraient.

« Je fis quelques pas vers une sorte d'épicerie-bistrot-dépôt de pain que je trouvai fermée, encombrée de chaises et de tables en plastique. Un sentier fléché contournait la bâtisse. Il me sembla que la puanteur s'accentuait dans les parages.

Cette infection soufrée, qui tenait autant du poudroiement de pierre à chaux que de la pétrochimie, aiguisait ma curiosité. Je sortis aussitôt du bois de chênes et pris pied, sans la moindre transition, au centre du plus étrange des cratères.

« Peut-être connaissez-vous le Solfatara, cher docteur, auquel cas vous souriez dans votre barbe. Vous vous amusez. Moi, je ne riais pas, croyez-moi. J'étais stupéfait, fasciné. J'avais une véritable éruption à mes pieds, un couvercle puant, un fond de cratère gluant, jaunâtre, croûteux, parsemé de fumerolles, où s'enfilaient les méandres d'un vague sentier.

« Un panneau en fer fiché de guingois recommandait de suivre les lacets avec beaucoup de précautions. Les parois du volcan fumaient sans discontinuer. Tout en haut, sur la crête, vers le ciel, on distinguait une ligne d'immeubles modernes bardés d'étendages multicolores. Les nuages tournoyaient juste au-dessous. Les draps du bon peuple séchaient dans ce soufre. C'était bien de là, de cette marmite infernale où je pénétrai, à moitié somnolent, que venait la puanteur.

« Le sentier résonna sous mes pas jusqu'aux premiers lacets. Il semblait que le sol enflait peu à peu alentour, roulait, tanguait comme une vieille barque. Bientôt, il creva en plusieurs points et dégorgea une matière visqueuse, jaunâtre, qui bouillait et fissurait la croûte. Je n'osais plus bouger. Les bulles nauséabondes proliféraient partout en émettant de petits jets de sable brûlant. Des fumerolles suintaient de ce bouillon, aussitôt suivies d'un panache soufré qui retournait l'estomac. Je reculai en me bouchant le nez. Cinq minutes plus tard, la zone où j'avais marché était totalement envahie par un liquide épais qui lâchait des miasmes pestilentiels et remuait comme un plat de purée.

« Mes pieds collaient au sol. Je mis un temps étrange à réaliser que c'étaient les semelles de mes chaussures qui fondaient. Je décidai alors de quitter cet enfer. Je battis en retraite, ne me retournai plus que pour apercevoir, dans la partie la plus dense du nuage, sous la barre d'immeubles, quelques ruines accrochées à la paroi du volcan. Le vent tourna de mon bord, l'odeur devint franchement suffocante, l'atmosphère quasi verdâtre. Je rejoignis le bistrot en tanguant.

« Sur la terrasse, un bellâtre italien se tapait les cuisses. Il m'avait vu venir de loin. Mes questions, mon effroi, mon accent le firent vraiment rigoler. Son fou rire décupla lorsque, nez bouché, j'entrepris de me renseigner sur le volcan. Impossible de dire trois mots à ce pitre. J'abandonnai la partie et me mis à rire avec lui. Nous nous assîmes tous deux sur la terrasse en toussant, crachotant, réclamant à grands cris des capuccini… Autant vous confier de suite, cher docteur, que ces vapeurs sulfureuses sont expectorantes et vomitives. Elles vous curent les fosses nasales mieux que l'acide. Mon compagnon en avait l'expérience, mais moi, j'étouffais. Je l'accompagnai jusqu'à sa tente, au beau milieu du bosquet de tamaris, et le laissai calmer (ou redoubler) son fou rire dans l'oreille d'une jeune ragazza dont j'aperçus les boucles et la frimousse endormie derrière une moustiquaire…

« J'espère vous divertir, cher monsieur Touraine. L'aventure est plutôt gaie, le lieu vraiment stupéfiant. Il n'y a que les Napolitains pour venir s'entasser aux abords immédiats d'une telle poudrière, un tel bec puant, un cul-de-basse-fosse, comme disait l'Italien noiraud. Renseignements pris, ils sont là depuis l'Antiquité. On venait guérir je ne sais quelle affection respiratoire dans ces sulfures. Et jusqu'au siècle dernier. Quelle étrange thérapie ! Nous n'en sommes pas à notre premier paradoxe, croyez-moi. Ici, l'Antiquité affleure à chaque pas ; les moellons, les briques et les tuiles apparaissent sur des chapiteaux à feuilles d'acanthe ; les fers à béton percent des sépulcres ; les HLM côtoient, au centimètre près, tout ce que les empereurs comptaient déjà de lieux de résidence. De là à venir vivre au-dessus d'un volcan, les narines érodées par ce soufre d'outre-tombe !...

«Nous allons d'étonnement en étonnement. Sachez encore que je vous écris depuis la terrasse du bistrot en question, et baigné par les miasmes de tout à l'heure. L'odeur ne nous quittera que si le vent tourne à l'ouest. Le sous-bois d'yeuses et de tamaris est divin. Hélène ne m'a même pas embrassé, tant elle était pressée de courir le cratère... Pourvu qu'elle ne fasse pas de bêtise !

« Une dernière chose, docteur, à laquelle vous ne croirez pas. Voici qu'en levant le nez de mes écritures, entre deux lampées d'un capuccino crémeux à souhait, voici que je viens d'apercevoir un cortège de visitandines en habit, chantant des psaumes, dévidant leur chapelet et se dirigeant droit sur le sphincter !... Je devrais aller chercher mon Italien.

(*Plus tard* :)

« Bon, ce pays est un enchantement. Dans ma surprise, j'ai bousculé le capuccino. J'ai pu récupérer partiellement ce breuvage national, mais vous en trouverez traces au bas de mon feuillet... Il faut dire que la puanteur, une fois qu'on en sait la provenance, incite vraiment à la rigolade.

«Nous sommes dans un jardin puant, docteur, un bac à graisses. A moins que ce ne soit un avant-goût de purgatoire, auquel cas il n'y aurait rien à redire à la présence de cette troupe de nonnettes cornettées parties batifoler dans les remugles.

«J'ai pourtant de tristes nouvelles à vous annoncer. Voici :

«On suspecte Giulio Ferratti d'avoir attenté à la vie d'un certain Nuccio Nelli, archéologue. Le crime remonte à une quinzaine d'années. Giulio aurait fait disparaître le corps. Il n'y a pas de preuves formelles de sa culpabilité, mais les présomptions sont accablantes. Ferratti s'est enfui juste avant son procès, en pleine instruction. On l'a donc jugé par contumace. Naturellement, il a écopé… Vingt ans ! Sa photo est placardée dans les commissariats. Nous l'avons vue, c'est bien lui, il n'a pas vieilli.

«Ferratti assassin… Nous voici loin des supputations mythologiques qui nous occupaient au Sonnant, n'est-ce pas ? Pourtant, le doute plane encore sur cette affaire, un doute entretenu par certains habitués de l'Averne, et partagé surtout – là, je vais vous étonner – par notre imprévisible Hélène. Elle a tourné sa veste, la belle Proserpina ! Elle, qui ne supportait pas nos hypothèses d'érudits concernant le passé de Giulio, est à présent férue d'antiquités. Elle se passionne pour la mythologie. Elle remuerait ciel et terre pour pouvoir développer devant un juge les refrains psychologico-culturels qui nous divisaient il n'y a pas si longtemps.

« Il faut que je situe les lieux et les événements. Le lac d'Averne. Passons sur Homère ou Virgile qui l'ont si bien décrit et que vous connaissez mieux que moi. Ces lieux antiques, vénérés, visités durant des siècles, ont subi récemment un très curieux phénomène évolutif dont je ne sais que penser. Un mot d'abord concernant l'environnement et les paysages qui, par bonheur, sont restés intacts à proximité du cratère. Passé l'Arco Felice et le Lucrin, vous retrouverez un site inaltéré, sombre, renfermé, avec son lac d'eaux stagnantes, ses ronciers, les traces des pas d'Hannibal qu'on imagine çà et là, les plaintes de la Sibylle, les appels d'Orphée… Sans parler des errements géodésiques des champs Phlégréens, ces portions de sol qui s'enfoncent bizarrement et très lentement sous la mer, emmènent dans leur chute les villas romaines et les temples, puis remontent quelques années plus tard et restituent des merveilles. Parfois, très brutalement, le même phénomène dresse d'un coup une colline, le monte

Nuovo par exemple, qui ferme le lac d'Averne, les escarpements de Baïes. Nous sommes entourés d'étranges volcans. Il ne faut guère d'effort pour imaginer Dante dans ces ruines, entendre les imprécations de Néron, surprendre les réflexions intimes d'Hadrien, le fracas des flottilles impériales. C'est bien ici, par la porte de l'Enfer, qu'Enée est descendu dans les ténèbres affronter Charon, soudoyer Cerbère. Pluton vit aussi là-dessous. Les fleuves de l'Achéron et du Cocyte y joignent leurs eaux. On est entre deux mondes, dans un calme étrange, une lumière voilée, quasi limoneuse. L'Averne est immuable.

« Hormis le petit bâtiment rouge brique de l'Équipement, à l'entrée du chemin, il n'y a que deux cabanes sur le lac, deux bâtisses plutôt délabrées. Peu de constructions, donc, un sentier qui court au bord de l'eau, des ruines mangées par la végétation, inaccessibles mais très propices à certain commerce sexuel que j'évoquerai plus loin. Une sorte de vieux ponton s'aventure sur le lac, fréquenté par un très étrange couple de cygnes gris perle qui n'apparaît jamais qu'à la tombée du jour, et encore, à certains familiers triés sur le volet… Nous en fûmes… Ces oiseaux sont fantastiques.

« Giulio, dans tout cela ?

«Je vous épargne le récit de nos premières recherches.

«L'entrée des Enfers n'a jamais cessé de fasciner le monde occidental, même durant les bouleversements du Moyen Age. Une tradition de visite, de pèlerinage s'est maintenue dans ces lieux, qui assure de tous temps la subsistance d'une famille sur le lac. Ce sont les seuls habitants du site, des bateliers. Les Ferratti descendent directement de cette lignée de passeurs qui ont traversé les siècles et dont Giulio est l'héritier. Son père est mort il y a une vingtaine d'années, le laissant seul sur les rives d'un des lieux les plus fameux et les plus obscurs de l'Antiquité. C'est lui le Nocher, le dernier Nocher, le légataire du lac, le responsable de la survie de l'Averne. Son chien se nomme Charon (Caronte en italien), nom prédestiné s'il en est, et son embarcation, du moins celle dont il hérita, l'*Arco*. Nous avons inspecté ce bateau qui pourrit sous un pin parasol dont la couronne s'incline vers le lac, côté monte Nuovo.

«Ferratti a eu une enfance sauvage et solitaire, baignée de légendes. Ce fut un adolescent taciturne, à ce qu'on dit, beau comme un demi-dieu, qui passait son temps à surveiller l'entrée de son royaume. Il fabriquait des barques à fond plat, des périssoires sur lesquelles il traversait le cratère. Il sifflait à la manière des Ferratti, très puissamment, ainsi que les nochers le font depuis des siècles. Mais cette existence séculaire a basculé très brutalement et de la pire manière. Je vous en parlerai tout à l'heure. Une chose est certaine : rien ne laissait supposer que le clan du Nocchero partirait de ses terres. Le lac des morts continuait de drainer son petit flot de pèlerins. Giulio projetait même de moderniser l'entreprise, de faire venir une autre branche de la famille. Son brusque départ a provoqué la fin des bateliers de l'Averne. Une révolution pour les touristes et les pèlerins, une trahison pour les autochtones et, bien sûr, pour les enquêteurs, un aveu.

« Docteur, je relis ces pages et vois que j'ai adopté un ton plutôt distancié pour relater le drame. Cela vient de ce que je suis moi-même mal à l'aise, incapable de vous retracer les événements avec la chaleur des gens d'ici. Dès qu'on parle du Nocchero, nos interlocuteurs bredouillent, leurs yeux se mouillent. On a le sentiment de toucher une vieille plaie très sensible. Évoquer Ferratti (que nous savons en vie mais dont eux ignorent tout) revient à le précipiter à nouveau dans la tombe, lui, l'Averne, son bateau, son enfance singulière, sa lignée.

« J'en arrive à cette sorte de viol dont a été victime récemment la Porte de l'Enfer. Viol : je crois que c'est le mot. Le phénomène est à la fois sinistre et plaisant, très noir et tout à fait rose. Il s'accorde assez bien avec ce que notre culture et notre morale nous laissent imaginer du Tartare. Jugez-en plutôt, docteur…

« L'Averne avait maintenu jusqu'à nos jours son mystère et son intemporalité. Qui pouvait donc ébranler ce lieu de sacrifice, de mort, ce rendez-vous des dieux et des trépassés, resté intact malgré les conflits, les déchirements, le passage des siècles ? Qui ou quoi pouvait encore fissurer les parois du cratère ? Que restait-il pour le miner ?

« Le sexe, docteur, le sexe noir, son commerce, l'usine à chairs, la braderie du plaisir ! Revoici Médée, Eve et son serpent, Perséphone dans ses narcisses, tout un cortège de créatures désirables et parfumées contre qui Junon lutta sa vie durant, et qui surgirent bel et bien un matin sur le lac, probablement par la crypte de Cocceus… qui surgirent, docteur, en la personne d'une seule et même représentante : Agathe Pisone, tenancière, péripatéticienne, grande pécheresse devant l'Éternel.

« Bon, la puanteur du Solfatara et les clins d'œil que me jette mon Italien attablé à la terrasse du bistrot en compagnie d'une époustouflante mulâtresse (pas du tout la Napolitaine de tout à l'heure dans son sac de couchage, une autre), tout cela me donne le tournis. Je n'ai plus revu les nonnettes. J'ai toujours envie de rire... Je poursuis:

«Donc, Agathe Pisone eut le toupet, par un bel après-midi d'automne, de risquer ses pas le long du cratère. Il n'y avait pas encore de guinguette. La seule habitation était la cabane du Nocher, clôturée par une basse-cour, signalée par deux vagues pancartes. Agathe, comme il se doit, rendit une visite de courtoisie au patron. Elle tapota même les joues burinées du grand-père qui vivait encore dans son fauteuil, puis celles du bambino, Giulio. Elle acheva ces politesses en faisant mine de s'intéresser au lac, accepta un tour de barque (qu'elle ne risqua plus jamais par la suite) et entreprit de séduire Ferratti père. Le Nocher succomba aussitôt aux charmes de la belle et téméraire Agathe. Ils firent quelques galipettes sur le lac. Ferratti eut des regrets en la voyant repartir.

«Agathe était une femme sensible, avisée, qui avait conçu un plan audacieux mais finalement assez modeste. Le Nocher, selon ses prévisions, voulut la rencontrer de nouveau.

«Le temps passa. Agathe revenait régulièrement sur le site. Elle faisait bien l'amour. Le gardien du lac d'Averne lui permit finalement de s'installer au domaine, sous condition que sa recherche de clientèle n'intervienne jamais avant la fin de son propre travail, la balade en barque au-dessus des Enfers.

« Une seconde cabane vit donc le jour à l'ombre des tamaris, qu'on appela la guinguette Pisone, du nom de l'ami d'Agathe, le souteneur. Les visiteurs attitrés de l'Averne, les latinistes, les universitaires et les archéologues s'accommodèrent joyeusement de la nouveauté. Ils goûtèrent l'un après l'autre, et comme malgré eux, aux charmes de la tenancière Pisone. Les portes de l'Enfer s'étaient enrichies d'une nouvelle étoile, très laiteuse de peau et très alanguie. Nul n'y trouva à redire.

« Il faut avouer qu'Agathe est une personne remarquable, une perle, dans son genre. Noire de chevelure, quasi diaphane de carnation (ce qui est étrange ici), enveloppée, généreuse, abondante. Une poitrine de catcheuse, un rire de garçon, des pupilles d'adolescente, deux petites braises qui s'enflamment pour un rien... La parfaite maquerelle recyclée... Après dix minutes de conversation avec elle, ces stéréotypes peu flatteurs s'estompent. Agathe Pisone force la sympathie. Elle est cultivée, érudite même, sensible et étonnamment intuitive.

Une sorte de Sibylle échappée de son antre, libérée de ses oracles. Une pythonisse au repos, avec de grands yeux brûlants, fatigués, qui ont toujours l'air de vous aimer. C'est elle qui nous informe sur Ferratti. Elle connaît les mythes de l'Averne sur le bout des doigts, aussi bien que les passions humaines. Elle a fui après le procès de Giulio. Elle ne s'est jamais remise de sa condamnation.

« Docteur, nous arrivons au nœud de l'affaire…

« La décennie qui suivit la venue d'Agathe Pisone consacra un nouvel accommodement entre érudition et amour courtois. Ces années modifièrent en profondeur les habitudes de l'antique volcan. Naissait ici un nouvel ordre. Junon, la reine des cieux, n'y vit pas motif à se fâcher. C'étaient somme toute des amours discrètes et studieuses, des sortes de récréations. La belle Agathe, qui ne possédait pas encore l'abondante poitrine d'aujourd'hui (plutonienne en diable, mais d'une douceur confondante, à ce qu'on dit), animait le cratère et, à sa manière, gagnait sa place au paradis. Elle se prit de passion pour la poésie antique et les mythologies. Cette complicité la lia intimement à sa clientèle et, par parenthèse, acheva de la distinguer des habituelles putains dont elle avait la dégaine et la gouaille.

« Mais, soudain, sans s'annoncer, et en dépit de

la présence de la tenancière, les temps modernes investirent d'un coup le cratère. La sociologie, la pathologie des banlieues, tout ce qu'on n'attendait pas vint fourrer ici son nez. Docteur, je crois que notre Hélène a raison : nous sommes d'incorrigibles rêveurs. Autant vous annoncer cela avec la brusquerie déjà utilisée à propos du crime de Ferratti… Voilà : l'Averne, ce lieu magique, est à présent transformé en bordel, en voie de garage pour amoureux pressés, pour baiseurs impénitents, en "love-parking".

« Les nobles rives sont accaparées par le bon peuple de Naples qui s'envoie en l'air à toute vitesse, sans arrière-pensées, sans rideau, côte à côte, dans une file ininterrompue de voitures de tous âges, avec une extraordinaire bonne conscience et une ardeur des plus remarquables. Voilà ce que découvrent dorénavant les pèlerins, les touristes, les poètes…

« L'Averne est assiégé. Deux phénomènes sont probablement à l'origine de cette invasion : l'impossibilité matérielle dans laquelle se trouvent les habitants des cités voisines de mener à bien la moindre aventure extra-conjuguale ; et (selon moi) l'état de désertification de leur cervelet qui n'est plus occupé que par le sport ou les jeux télévisés. Quant à faire la part de ces deux raisons… à vous de choisir ! Ce qui est sûr, c'est que les amants ne connaissent pas le lieu. Ils ont oublié leur propre histoire. Pluton est devenu un héros de bandes dessinées, Titan rien de plus qu'une fusée, Virgile le surnom des amoureux transis. Même Zeus fait recette dans les cosmétiques. Le plus extraordinaire est que la petitesse du lac, la promiscuité des emplacements où se garer sont pour eux des gages de sécurité. Les voitures se rangent l'une contre l'autre et s'entre-surveillent. Notre lac semble bien être une erreur de la civilisation. Aucun immeuble ne s'y est jamais implanté. Parfait ! Entièrement vierge, entièrement disponible. C'est aussi simple que cela. Il a fallu du temps avant que les adeptes du love-parking investissent tout à fait les berges de l'Averne. Maintenant, vous avez un gardien attitré : la mafia comptabilise les départs et les arrivées.

« Docteur, le Solfatara continue de déverser ses miasmes autour de moi. Mon Italien est venu vérifier si je scribouillais. J'ai envie de le suivre. Les Napolitains ont la gaieté contagieuse, la larme facile. Nous l'avons vérifié lorsque Agathe et un de ses anciens clients, le professeur Fidélio, médiéviste, nous ont expliqué comment le jeune Nocher avait subi la détérioration de son lac.

« Giulio Ferratti a connu l'Averne comme un élu des dieux. Le cratère lui était ouvert, désigné, tendu. Hormis les Ferratti, nul ne venait ici que des savants. Les érudits réservaient à l'enfant la même déférence qu'ils accordaient au père, au Nocher. Certains d'entre eux tentèrent même de l'instruire, lui racontant les pires récits lorsque l'*Arco* filait sur le lac. Rappelez-vous Mézence, les bœufs noirs, Caronte… voilà quelles furent les nourritures de l'enfant. Mafalda Ferratti, la mère, menait sa vie de paysanne simple ; le père ne réfléchissait pas trop lui non plus, n'écoutait jamais ses clients ; c'était un géant, m'a-t-on dit, bâti comme une tour.

« Agathe Pisone débarqua dans le cratère et ce fut l'âge d'or brusquement. La gaieté, la fantaisie, le sexe déferlèrent sur les rives du fameux lac, baignant à leur manière inconvenante l'enfance et l'adolescence du futur Nocher. Sexe et fantaisie de rêve, précautionneux, respectueux de l'endroit et de ses conventions, presque rassurants pour Ferratti. C'est que Giulio a été terriblement aimé. On le décrit comme un jeune homme pudibond, solitaire, qui arpentait les rives de son lac avec ses animaux. Pourtant, le couple Pisone apporta au lieu la touche d'humanité qui lui manquait. Je suppose que Giulio, encombré par ses rudiments de culture, a mal profité de ce vent libéral. En fait, nous n'en savons rien. Lorsqu'on aborde la question, Agathe hausse les épaules en répétant qu'il était serviable, joli comme un cœur, mais sombre et renfermé comme un moine.

«Le père Ferratti mourut. Giulio dut prendre les commandes. Il devint le Nocher. Il repeignit le bateau familial de ce gris étonnant qu'arboraient les deux cygnes. Les premiers véhicules stationnaient déjà ici et là, loin du ponton, certains week-ends et jours de fête. Lorsque ce mouvement prit de l'ampleur, que les couples illégitimes envahirent les berges du lac, Giulio décida de protester auprès des autorités de Cumes. Il se fit éconduire. Il multiplia en vain les démarches. Il en sortit amer et désillusionné. C'est à cette époque qu'Agathe lui fit perdre sa virginité. Giulio, dressé, éjaculant entre des lèvres de femme, murmura que c'était là le premier prix à payer, la dîme que Charon recueille dans la bouche des morts.

«Les amants furtifs repoussèrent peu à peu la clientèle d'Agathe. La belle tenancière dut se recycler en ville, ne venant à l'Averne qu'en tout début de semaine, les lundis et mardis, deux petits jours préservés un certain temps. On imagine le désœuvrement du jeune Ferratti, une solitude aggravée par le départ de sa propre mère, tenue elle aussi d'aller à Pouzzoles, de s'employer à des ménages. Mafalda ne rentrait que le soir. Giulio guettait des heures durant.

« Les érudits désertèrent à leur tour, sauf les trois ou quatre fidèles du lundi : Fidélio, Pisone parfois, et, bien entendu, Nuccio Nelli. Giulio les embarquait gratuitement sur l'*Arco*, sans prononcer une parole.

« Puis survint le drame.

« Un après-midi, achevant un cycle de conférences à l'université, le professeur Nuccio Nelli se sentit fatigué et dut interrompre son cours. Il quitta bientôt la ville de Naples et partit pour Cumes, affirmant à ses proches que l'ambiance de l'Averne le délasserait.

« On vit effectivement le professeur sur les rives du cratère, en fin de journée, conversant avec le Nocher. Tous deux montèrent à bord de l'*Arco* alors que le vent d'est se levait, charriant les fumées et les miasmes du Solfatara et chassant les amants du love-parking. Après, on ne sait rien. On retrouva Ferratti la nuit suivante au cap Misène, ivre mort, incapable de préciser son emploi du temps. Il semblait amnésique. Il reconnaissait avoir mené l'archéologue sur son bateau. Une seule chose lui restait de ce voyage, toujours la même, un détail qui le plongeait dans une étrange perplexité : les deux cygnes gris, ce soir-là, n'avaient pas voulu suivre l'*Arco* comme d'habitude. Quant à ce qu'il était advenu de Nelli, mystère…

« Giulio fut inculpé, incarcéré, remis en liberté. On ne retrouva jamais le corps de Nelli. La presse et la population locale s'accordèrent pour estimer que le jeune batelier avait sa part dans cette disparition. Il cachait quelque chose. Giulio s'obstina dans son silence.

« Enfin, après des mois, on lui pardonna. Le procès approchait et Ferratti semblait affecté mentalement. Mais sa fuite à deux semaines du début des audiences retourna l'opinion. Après le verdict, Mafalda Ferratti demeura seule sur les rives du lac, parmi ses poules et ses dindons, dormant dans la chambre du Nocher, clamant l'innocence de son fils à qui voulait l'entendre. Enfin, une année plus tard, subitement, elle disparut à son tour. Nul ne douta plus que Ferratti était l'assassin.

« Voilà, docteur. Cette fin de lettre ressemble à un début de roman policier. J'ai presque fini. Hélène vient de me rejoindre, elle lit par-dessus mon épaule. Depuis ces révélations, nos jours s'en vont un peu tristement. Il semble que quelqu'un les égrène (Pluton ?) avec une sorte de grâce mélancolique. Mais je m'égare… Ce doit être l'influence d'Agathe, la tenancière, ou les miasmes de ce fichu volcan qui éructe de plus belle autour de nous… Plus trace de l'Italien noiraud.

Vôtre,
Luc Avelin.

« PS : Carlo Pisone, le maquereau, se targue de posséder une plaque métallique que son grand-père aurait repêchée en 1925 dans les ruines immergées de la ville antique de Baïes. Cette plaque est installée sur l'ancien bar d'Agathe. Elle y servait de zinc. Elle est gravée sur le pourtour. C'est aussi inhabituel qu'intrigant. Il n'est pas impossible que je la ramène. La belle Pouzzolane nous l'a offerte en souvenir. Sa guinguette est désormais ouverte aux quatre vents. »

Troisième partie

Le barrage

1

« Hélène Vallier s'inquiète. Elle pose des questions. Au fond, elle n'a pas changé. Elle doit encore rêver de toi. Il faut dire que tu n'es pas commun. Tellement bizarre…

– Si tu me lâchais.

– Bizarre, mais avec du cœur. Fini les quintes, pas vrai ?… A propos, Giulio, j'ai gommé le nom du photographe sur le poster. Un petit coup de feutre dans la salle d'attente. Tu te souviens ? Le photographe. On le repère, ce nom-là. Il y a même un Nelli qui signe aussi des cartes postales. Enfin, je me suis débrouillé discrètement. Ni vu ni connu. Tu ne dis rien ? Ça ne te plaît pas ? Oh, et puis je m'en fiche !… On parle de toi dans le quartier. De toi et du fils Avelin… Luc Avelin, au fond, il a pas mal ratissé autour de lui, quand on y pense : ton chien Caronte, le perroquet, l'institutrice. Seulement voilà, il n'a pas encore épousé Hélène Vallier qu'il est déjà cocu. Enfin, dans un sens.

– Arrête de bavarder, Maurice. Tu traînes dans mes pattes. C'est fatigant, à force.

– Luc n'est pas comme son père, pas du tout, continua l'autre sans l'entendre. Ces deux-là ne se ressemblent pas… »

Puis, après un silence :

« Si je reviens ici, au Baronnet, c'est que j'aime te regarder. J'étais sûr qu'on se retrouverait un jour ou l'autre sur un chantier. Ça me plaît de regarder les gens bosser. C'est intéressant. »

Le couvreur leva le nez.

« Surtout toi… Ça me plaît. »

Giulio lui jeta un regard très intense.

Les murs du pavillon semblaient inaltérables. Peu de choses avaient changé. Personne n'avait poursuivi les travaux dans le parc. Giulio récupérait les lieux tels qu'il les avait laissés, l'herbe seulement un peu jaunie. Le gros Pichard, lui, avait dégoté une nouvelle mobylette.

Ferratti était donc là, évitant de se poser trop de questions, ne stationnant plus jamais place Bénicroix ou avenue des Flandres, rassuré d'utiliser comme avant ses mains et ses outils. Il travaillait depuis à nouveau au Baronnet. Il avait restauré les corniches, changé une partie de la charpente, refait le parquet de l'étage. La toiture retrouvait peu à peu son lustre d'autrefois à l'identique, couverte des mêmes ardoises multicolores. Les vieux murs du pavillon triomphaient comme avant sur l'esplanade, stables, agencés parfaitement, lisses, réguliers, sans faille.

Giulio hésita avant de percer. Il tira sa caisse, choisit le grand pied-de-biche, la massette. Il s'agenouilla devant la première rangée de moellons.

« Elle s'en fiche complètement, tu veux dire. Elle cherche à comprendre. Seulement comprendre. Mais il n'y a rien à comprendre... Moi, ici, je dois continuer tout seul, batailler tout seul, ébranler ces blocs.

– Je me demande bien pourquoi.

– Il faut que j'en déchausse un. »

Giulio se redressa en maugréant.

« Que des boutisses... Les pierres sont tellement régulières ici, toutes taillées. Un appareillage du tonnerre. Ceux qui ont construit ce Baronnet connaissaient bien leur boulot, Maurice. Ça ne se voit plus guère, ce genre d'artisan. »

Giulio grimaça. Au bout d'un temps, il parvint à faire bouger sa pierre. Il fallait la dégarnir sur le côté, l'ébranler avec le pied-de-biche, avant de la sortir de son logement. Il appela Pichard. Ils la basculèrent tous deux sur le sol, la roulèrent à l'extérieur, jusqu'au terre-plein de l'allée des Nobles où stationnait la camionnette.

« Ce n'est pas mes oignons, Ferratti, mais pourquoi desceller ce parpaing ? »

Giulio tira le garçon boucher jusqu'à mi-hauteur des pentes qui cernaient le pavillon. C'était là, dans cet amphithéâtre naturel, qu'avait stationné au printemps la petite classe enfantine d'Hélène Vallier. Le couvreur baissa soudain la tête, glissa les doigts dans sa bouche pour siffler. Maurice Pichard lui saisit les mains, l'immobilisa. Ils se regardèrent. Ils regardèrent le vallon. Il ne fallait pas penser davantage. Maurice sortit son casse-croûte.

« Sais-tu ce que j'ai fait en revenant de l'hôpital ? J'ai voulu revoir l'affiche de la pharmacie. J'avais tout le temps le visage de la petite pute devant les yeux. Je l'ai cherchée partout. Tu te rappelles, la fille à poil sur son promontoire, au crépuscule, avec une mer déchaînée et le soleil couchant entre les cuisses ?

– La capote anglaise, grommela Pichard en mâchant sa tartine.

– J'ai connu quelqu'un du genre à l'hôpital. Eloïse…

– Oui, je connais aussi.

– Bien sûr, c'est vrai… Pauvre Eloïse, tu te souviens, elle passait son temps à lever ses jupes, montrer ses fesses, se larder la jambe avec sa lame de rasoir.

– Je connais, je connais…

– En réalité, elle adorait qu'on voie sa cuisse de môme avec un filet de sang dessus. »

Le garçon fit la grimace.

« L'avoir sous le nez à longueur de jour, tu imagines… Du matin jusqu'au soir à moitié nue, ça faisait bizarre quand même. Ça me rappelait des souvenirs… J'en rêvais, tu comprends ? Quand je regardais Eloïse, je pensais à la petite pute de l'affiche. Et vice versa… Elles sont maigres toutes les deux. »

L'autre acquiesça gravement.

« J'ai l'impression de connaître la fille de la photo, et surtout la jetée derrière elle, cette espèce de môle où elle se tient jambes ouvertes, le phare aussi… Je crois que je l'ai déjà vue.

– On pense tous des trucs comme ça.

– Je ne crois pas, Maurice. J'ai cherché partout l'affiche pour vérifier.

– Ils l'ont enlevée. La campagne de pub ne devait pas marcher. D'un jour sur l'autre, tout a disparu. Plus une seule photo dans toute la ville. »

Giulio baissa les yeux. Il se prit la tête dans les mains.

« Elle est morte, Pichard.

– Pas vrai. Qui ?

– La petite Eloïse. Celle qui se lardait la cuisse. »

Le garçon s'approcha en bégayant.

« Déconne pas ! Tu déconnes toujours, Ferratti.

– Elle m'a regardé monter ma cloison, à l'ergothérapie. J'avais décidé de m'enfermer… Elle a compris tout de suite que ça leur faisait plaisir que je m'enferme, qu'ils tenaient là une raison de me garder. Pour moi, c'était un jeu, rien d'autre. Pour elle, une preuve, une démonstration. Elle a sorti sa lame. Le sabre de coiffeur, Pichard, pas la petite lame. Le vrai sabre, avec un manche en corne. C'est allé très vite, elle en a blessé deux avant de se taillader elle-même. Elle a saigné partout sur mon mur… »

Pichard cracha à terre. L'artisan resta prostré, silencieux.

« Fais pas cette tête ! dit Maurice d'une voix alarmée.

– Elle est morte. Mais, juste avant, aux urgences, elle s'est remise à manger un peu. Elle ne mangeait plus, Maurice. Moi non plus, je ne mangeais pas, aux Glaïeuls. Tu vois, ça déclenche toujours quelque chose, de mourir. »

Il s'approcha du boucher et lui souffla dans l'oreille :

« Pichard, tu comprendras… La mort, le sexe, c'est plus proche que tout. Et ça vient toujours ensemble, pour nous autres. Ensemble, et quand tu les attends plus. Pour le reste, il faut être chanceux. »

L'autre cracha.

« Tu te souviens comme elle se caressait l'entrejambe ?

– Déconne pas, Giulio, merde !

– Maurice, sans toi, je serais comme elle, les pieds devant. Tu m'as aidé devant l'Église. Tu m'as secouru. Nous sommes du même bord, n'est-ce pas ? Tu collectionnes les bouts-du-monde, et moi les conneries, les cicatrices, les souvenirs. Nous nous ressemblons, tous les deux, Maurice : timides, mais taillés comme des hachoirs… »

Il l'emmena sur le terre-plein, ouvrit la camionnette et désigna un coffret sur le siège avant.

« Il arrive de Naples, comme la pute de l'affiche. Il est précieux, ce coffret. Pour elle, la pute, c'est plus triste. Une telle beauté, si neuve, si jeune, si complètement dépravée, ça vous fiche drôlement le cafard…

– C'est Naples, ton pays ? demanda le boucher en baissant la tête.

– Un lac dans cette région, près de Cumes. L'entrée des Enfers. »

L'autre le regarda, puis de nouveau cracha à terre.

« C'est par là qu'on descendait au royaume des morts.

– Tu fais chier.

– Elle vient de Pouzzoles, la pute, peut-être de Misène… Comme mon cadeau dans le fourgon. Tu vois ce coffret, Maurice ? Il y a une bande de plomb à l'intérieur. Le plomb a été repêché dans les eaux antiques de Baïes. Après ça, il a servi de zinc dans la guinguette Pisone, il protégeait le bar de Carlo. Un vrai maquereau, Carlo Pisone. Mais il était fier de son plomb de villa romaine. Vraiment fier… C'est Luc Avelin qui l'a enlevé et me l'a rapporté. Je suppose qu'il sait tout, à présent, Luc Avelin. Il est allé deux fois de suite au lac d'Averne. C'est pas le même lac qu'ici. Beaucoup plus petit. Beaucoup plus vieux. Plus étrange. La première fois, c'était avec Hélène, exactement au moment où Eloïse crevait ventre ouvert dans le pavillon, comme Prométhée. La deuxième fois, seul. Tu ne connais pas Prométhée, toi… Tu ne connais rien. La vie continue, pas vrai ? Personne ne m'a jamais parlé de ces voyages. J'ai été le dernier à savoir. »

Le boucher rassembla les restes du casse-croûte en maugréant. Il sortit nettoyer le rétroviseur de sa mobylette, envoya un coup de pied dans les deux volets du Baronnet, avec leurs petits cœurs ridicules, puis revint en secouant ses chaussures.

« C'était quand même bien, la manifestation, non ? Avec les pancartes et les tripes de cochon, tu te souviens, Giulio ? On a bien rigolé. Et puis, ils l'ont pas démoli, notre pavillon. C'est grâce à nous... Toi, t'es célèbre, maintenant.

– Je m'en fiche. Regarde, je vais faire quelque chose. Je vais dissimuler le plomb de Carlo Pisone dans le trou, à la place du parpaing. Ce sera ma signature. Après, je reboucherai. On ne saura rien. Un morceau de grillage, deux couches de crépi par-dessus, ni vu ni connu... La tôle va disparaître. On ne la découvrira jamais.

– Tu veux quoi ?

– Je m'occupe des suivants. Je pense aux autres, plus tard, à ceux d'à côté.

– Elle est fermée, cette boîte ? Il n'y a pas autre chose dedans ?

– La Madone, Pichard... Ou la petite pute. Ou peut-être Pandore. La belle Pandora !

– Bon, je me tire, ça sent le roussi, fit Maurice en haussant les épaules. Je reviendrai demain.

Bizarre de se retrouver ici, Giulio, à cet endroit, après tout ce qui s'est passé. A croire que le pavillon du Baronnet t'attire vraiment.

– J'ai attendu chez moi la clientèle. Elle se raréfie, la clientèle. Alors, je suis revenu au Baronnet.

– C'est bien de te voir guéri, en tout cas... Salut, Giulio !

– Salut ! Tu peux chercher Pandore. Demande à Hélène : Pandore est toujours dans le dictionnaire.

– On s'en fiche, Giulio.

– Ce sont eux qui sont partis pour Naples, non ? Ce sont eux qui ont pris la bande de plomb... Et moi, pendant ce temps, j'étais à l'hôpital. J'attendais tes visites. Je bouffais toutes mes drogues et j'attendais tes visites. Et Eloïse se lardait la cuisse avant de crever. »

Le garçon boucher s'éloigna à grands pas.

Giulio gâcha son crépi puis se mit à enduire les parements du Baronnet. L'air du *Pont de la rivière Kwaï* passa bientôt ses lèvres, mais par bribes, sans élan, amorti par l'étroitesse du pavillon. La truelle résonnait entre les murs vides. Parfois, Giulio approchait ses doigts du revêtement humide, hochait la tête.

« Vivants, murmurait-il, les murs sont

vivants… Les pierres pensent. Elles respirent. Elles se reposent, durcissent dans le souvenir de l'eau comme les morts du cimetière. Bientôt elles seront sèches et blanches, débarrassées de cette humidité qui captive… Les pierres sont silencieuses. Hélène et sa mère aussi. Parfois, murs et cloisons se fendillent. Le monde explose. Tout explose devant les yeux d'Eloïse. Eloïse écarte les jambes, écarte le monde avec sa jupe, elle renverse le monde. Elle force tout, elle voudrait tout larder. Dès qu'on approche, elle crie. Pichard, lui, ne crie pas. Il réfléchit. C'est un sage. Les vieux murs se taisent, les pierres consentent. On s'adresse à elles. Eloïse est morte. Le docteur Touraine ne sait rien, lui qui s'enferme chaque soir dans son salon acajou avec ses colombes, ses statues, ses secrets.

« Partout et toujours des fous… Eloïse est partie. Pas de destin pour elle, même modeste. Jamais de petite résurrection. Tout juste des colombes, deux colombes aveugles dans leur cagibi… Et Nuccio, malade, qui tousse devant l'entrée de la grotte. Et la boîte de Pandore avec les maux de l'humanité dedans. Tous les maux prêts à sortir. Pauvre Nuccio…

« Les murs n'aiment pas qu'on les dérange. Caronte non plus. Caronte gémit depuis mon retour au Sonnant. Il a changé, vieilli. A présent, je crois qu'il aime quelqu'un, il aime le perroquet infirme. Trousse-galant ne parle pas... Plus la peine de parler. J'ai embrassé Eloïse, aux urgences. Ses lèvres étaient sèches mais heureuses. Sa bouche était chaude et sèche. Je lui ai pris la dîme. Eloïse comprend tout depuis le début. J'ai sifflé aussi pour elle, aux urgences, j'ai sifflé tout près de sa bouche de trépassée. Elle ne s'est pas bouché les oreilles. Elle a souri et cligné des yeux.

« Plus la peine. On ne sondera pas le Baronnet. On mettra tout le monde dedans, ensemble, tous : Eloïse, Raymonde Vallier, Proserpine, Maurice Pichard et ses tripes de cochon, Caronte, Luc Avelin... la boîte de Pandore, la petite pute du sida, la périssoire... Je montrerai au docteur comment jeter de la nourriture au Cerbère, comment amadouer les morts. Le docteur hochera la tête d'un air inquiet. Je leur dirai de respirer par le ventre, puis je sifflerai très puissamment. La Porte s'ouvrira, la Porte se refermera. Eloïse se lardera la cuisse de toute éternité, en toute indifférence. Le sifflement du Nocher zébrera l'eau du lac. »

2

«C'est gentil d'être venu, chuchota l'institutrice en prenant le bras de Luc. On sent déjà l'automne. C'est bizarre. C'est l'épaisseur de l'air. Bientôt les feuilles commenceront leur parade annuelle. Les rouges et les ocres envahiront tout sans mesure. Comme dans la salle d'attente du docteur Touraine, devant le grand poster. Du rouge, du feu. Rien de vraiment plausible. Partout ce flamboiement triste.

– On n'y est pas, loin s'en faut.

– Je n'aime pas. Je n'ai jamais aimé l'automne.

– Normal, ma Proserpine, dit l'étudiant. C'est toi qui chasses les saisons. Tu vas quitter notre monde, tu dois retourner à nouveau sous terre, rejoindre Pluton.

– Très drôle… Cette fragilité partout, ce désarroi, cette pulsation… Il faudrait plutôt aller sur les pentes du cimetière. Ma mère y repose. C'est ensoleillé là-bas, bien orienté à l'ouest, vers le barrage. Les jours y disparaissent.

– Tu m'as appelé pour ça? demanda Luc en lui prenant l'épaule.

– Non. Pas pour ça. »

Elle enleva son bras, s'éloigna de lui.

« Pas du tout pour ça, Luc. Je voulais parler de Ferratti, de vos manigances avec le docteur Touraine. Je n'aime pas ces combines. Giulio se fiche de vos histoires. On n'étudie pas les gens ainsi, sans leur consentement. »

Un silence passa. Elle scrutait les perrons de l'avenue des Flandres.

« Il faut que je te montre quelque chose… »

La jeune femme fixa de nouveau la chaussée. Le soleil allait s'enfuir derrière le val du Baronnet. Hélène semblait inquiète. Au bout d'une minute, elle eut un mouvement de recul, puis se baissa vivement. Les derniers rayons de soleil fusaient dans la toiture du kiosque à musique. Ils frôlèrent la gloriette, puis la cloche, puis se glissèrent dans l'axe de l'avenue des Flandres. Il y eut comme un embrasement. Les perrons, les pilastres, les colonnettes, les seuils de toutes ces demeures resplendirent en un instant, ouvrant une manière de voie lumineuse et sculptée à travers la ville. L'illumination dura quelques minutes. Hélène courut vers la place Bénicroix en entraînant Luc, stoppa aux deux tiers, sur le trottoir de droite, et se pencha contre la porte d'un réduit à bois, sous l'un des perrons illuminés. Elle poussa un cri joyeux.

« Voilà ! dit-elle. Regarde derrière la colonnette, le renflement du haut, la petite bague.

– L'anneau ? Cette espèce de cercle interrompu…

– Échancré, Luc, échancré. Regarde mieux. Suis le trajet de la lumière. »

Les rayons filaient sous le pilastre et venaient éclairer, en retrait, un cercle en ronde bosse derrière la rambarde. Le paraphe du sculpteur Rodier, un trapèze blasonné, surmonté du trèfle de compagnonnage et de ses deux initiales entrelacées, brillait comme de l'or fondu au centre de la petite ravine lumineuse. Puis le soleil disparut. La griffure s'éteignit. Luc dut plonger la main à trois ou quatre reprises pour retrouver le bas-relief. Les volées avaient recouvré leur habituelle teinte grisâtre.

« Moi qui ai passé ma jeunesse à courir ces escaliers…

– J'en ai parlé à Giulio Ferratti, coupa l'institutrice. J'ai voulu lui montrer le blason. Il m'a ri au nez ! Il prétend que c'est absolument banal dans la profession. On ne recense plus les procédés par lesquels les bâtisseurs d'autrefois signalaient leurs ouvrages. Il ne s'est même pas déplacé pour voir. »

Elle ajouta que le paraphe n'apparaissait qu'à cette période très précise de l'année.

« Quelle romantique tu fais ! dit-il en la prenant dans ses bras.

– C'est beau. C'est parfaitement inutile.

– Tu penses à Ferratti ?

– Je n'aime pas vos plans, Luc. Voilà... Vos théories me font peur. Je ne comprends pas que tu sois retourné à Naples avec ça derrière la tête. Récolter des documents, rencontrer la police, les psychologues, filmer le love-parking, filmer Agathe... Toutes ces extravagances dans le but de provoquer un déclic chez Giulio. Je n'aime pas ces enjeux. Votre pari est trop risqué.

– Il est innocent, protesta Luc. Nous savons qu'il est innocent. Il faut qu'il réagisse. Même les médecins de l'hôpital se rangent maintenant aux arguments du docteur Touraine. Tu imagines que les traitements qu'on lui propose sont autrement dangereux...

– Giulio n'a pas besoin de traitement. Il va mieux, semble-t-il. Et puis, il se fiche pas mal de vos hypothèses. Il se fiche du lac d'Averne. A l'hôpital, on ne se mêle pas de questions criminelles.

– Tu oublies la toux, les quintes de toux. Cet homme se déchire les bronches dès qu'on évoque son passé.

– En réalité, vous ne songez pas une seconde à Ferratti. Vous êtes trop fiers, trop préoccupés. Ce sont vos raisonnements qui importent. Vous comptez libérer cet homme. Lui ne le désire pas.

– Que dis-tu là, Hélène ?

– Il ne veut pas être disculpé. Il se fiche de son passé. Sinon, il ne serait pas venu se dissimuler au Sonnant. Il aurait fait face d'une façon ou d'une autre. Pas en se cachant.

– Il pouvait aussi attendre la prescription ici, en France. Il espérait peut-être gagner du temps.

– Finir d'en perdre, voilà tout. Tourner la page.

– Et Nelli ? demanda Luc.

– Quoi, Nelli ?

– Nuccio Nelli, insuffisant respiratoire notoire, tu l'oublies, celui-là ? Et l'éruption du Solfatara le jour même de sa disparition ? Et l'excursion avec l'*Arco* sur le lac... Tu te fiches de tout ça ? Il suffit que Giulio revienne amnésique de ce voyage, qu'il n'arrive pas à ouvrir les lèvres, qu'il joue le simple d'esprit...

– Laissez-le tranquille. Ne vous occupez pas de lui. Fichez-lui la paix !

– C'est impossible.

– A-t-on sondé le lac d'Averne ?

– Non, soupira Luc. Le commissaire a reconnu qu'une entreprise avait été désignée pour ça. Mais le peuple de Cumes, que nous avons vu forniquer allégrement sur les rives, a pris la mouche en voyant arriver les plongeurs. Pas question de sonder le lac. On allait violer la Porte, bafouer les interdits. Toutes les superstitions ont resurgi d'un coup et, devant cette levée de boucliers, les autorités judiciaires sont reparties discrètement. Impossible de descendre aux Enfers, ma chérie. On ne fouille toujours pas les profondeurs du Cocyte. Pas plus aujourd'hui qu'autrefois. J'avoue que j'ai aimé cette réaction…

– Aller-retour dans le bon creuset culturel, n'est-ce pas ? Les mythes nous façonnent. Ils nous façonneront de toute éternité…

– Et alors ? dit l'étudiant.

– Alors, ce qui t'attire, c'est précisément ce que Giulio fuit. Ce n'est pas à la justice qu'il tente d'échapper, mais à l'emprise d'un lieu. Laissez-lui l'illusion qu'en s'éloignant de l'Averne il parviendra à se libérer de son destin.

– Exactement l'illusion des héros antiques.

– Giulio n'est pas un héros. Il a subi toute son enfance un lieu éprouvant. Et ce lieu s'est transformé en love-parking.

– Et alors ? redit l'étudiant.

– Alors, il n'y a rien à observer. Il n'y a pas d'exemple, pas de héros. On se fiche de savoir que les oiseaux mouraient vraiment au-dessus du lac d'Averne. Accréditer un mythe n'avance à rien, même si c'est un homme, cette fois, qui remplace les oiseaux. Vos recherches ne mènent nulle part.

– Nuccio Nelli est mort de cette manière.

– Et qu'est-ce que ça change, Luc ? Par contre, le love-parking, ça change. D'après Agathe, le love-parking, c'est le succès garanti. Ça marche du feu de Dieu ! La trouvaille va sûrement passer les frontières. Bientôt chez nous. Love-parking, love-parking !... Cessez donc de compulser vos ouvrages. Laissez Giulio Ferratti en paix, le plus loin possible de son passé. Vous ne tenez pas le dernier spécimen des demi-dieux. C'est seulement son enfance qu'il veut fuir, mêlée à une certaine image du sexe. Il se fiche pas mal de la justice.

– Quelle image ?

– Les images du sexe, toutes les images.

– Alors, il reste quoi ?

– Sûrement de nouvelles images. Sans nous. »

L'obscurité venait. Hélène se mit à pleurer. L'étudiant la serra dans ses bras.

« Giulio Ferratti me fait peur, reprit-elle. Je crois qu'il cherchait à aimer en faisant peur. Il a sifflé, dans le parc. Il a lancé exactement le son que ma mère voulait saisir au moment de quitter le monde. Elle en était heureuse, comme soulagée… Et puis, continua Hélène dans un murmure, il a tout recommencé. Il a tenté de m'enlever à mon tour. Comme Proserpine. Cet homme m'offrait sa vie… »

Luc la serra.

« La petite Eloïse disait que Giulio faisait peur.

– Elle est morte, la petite Eloïse.

– Eh bien, voilà… Tout le monde a peur. Il n'y a que Pichard qui n'ait pas peur. C'est pas plus compliqué.

– Tu préfères qu'il retourne à l'hôpital ?

– Proserpine, ce n'est pas moi. C'est plutôt Agathe. Agathe a fui l'Averne à cause du love-parking. Ensuite, la mère de Giulio a fui aussi. Elle est partie faire des ménages. Lui, a été obligé de rester, de ramasser les préservatifs, de compter le flot de voitures… Et vous voudriez le replonger dans cette marmite ? C'est de la cruauté, Luc ! Vous êtes des enquêteurs racés, indécents, érudits… C'est honteux !

– Tu préfères qu'il retourne à l'hôpital ? redemanda l'étudiant.

– J'aimerais qu'il parte à nouveau, qu'il quitte le Sonnant, qu'il s'en aille d'ici. »

3

L'une des colombes avait disparu. Pouvait-on dire qu'elle était morte comme Eloïse ? Le docteur en doutait. De si vieux oiseaux ne quittent pas la vie. Ils s'affaissent. Ils deviennent secs et cassants, et la vie s'en détourne.

Pierre Touraine avait imaginé cette journée difficile.

Ses premiers pas dans la pièce, après le déjeuner, exigèrent beaucoup de lui. Il laissa de côté son prélude de Bach, livret ouvert, préparé la veille sur le lutrin. Il se leva pour nourrir ses oiseaux. Il mit un temps anormal à dégager la targette, puis le petit loquet dissimulé dans les ornements bleus du trompe-l'œil. Enfin il releva le panonceau et, sans trop de surprise, sans trop de tremblement, vit que la petite femelle était morte. Elle gisait pattes en l'air sous le trapèze, dans le tas de déjections. L'autre colombe oscillait sur son perchoir, ses yeux aveugles tournés vers l'ajour des tuileaux. Le docteur saisit délicatement le petit cadavre.

L'oiseau était tiède. Il l'emmena au salon, le déposa sous le trumeau de la cheminée, tout près d'Ixion qui embrassait ses nuages de plâtre. Puis il chercha une bouteille de porto. Les glaçons du congélateur tombèrent dans le verre d'alcool, brusquement étoilés. Leur claquement, leur émiettement sec et définitif rappelèrent au docteur qu'il fallait dormir, qu'il restait peu de temps.

Une tapisserie d'un vieux rouge passé faisait face au fauteuil. Quatre décennies d'exposition à la lumière du jour l'avaient peu à peu altérée. Les jonctions du papier avec la frise et les plinthes dessinaient par endroits des lanières pastel, de petites bandes étroites, fanées, qui conféraient une sorte de champ à ce décor, une profondeur. Pierre Touraine soupira. Il songea à Raymonde Vallier. Ainsi la journée achoppait contre ce pan de mur où n'en finissait pas de ternir le papier peint. Raymonde avait décrypté les secrets de la céramique crétoise, puis lui avait offert le couple de colombes. Raymonde était morte. La femelle était morte. Plus de femelle. Le docteur soupira de nouveau.

Le mobilier se limitait à deux meubles allongés et étroits, deux guérites. Leur petite corniche et leurs baguettes d'angle cloutées de cuivre rouge veillaient sur le tapis du salon. Pierre y rangeait ses documents administratifs, son courrier. Plus tard, il y avait installé aussi la télévision. Plus tard encore, dans le second meuble, un équipement informatique au grand complet, censé le divertir les soirs d'hiver. Mais il utilisait peu cet attirail. Il préférait rêver.

Passé la seconde porte-fenêtre, côté jardin, on arrivait au clavecin, au trompe-l'œil et aux oiseaux dont il fallait s'occuper, l'esprit vif. La petite femelle était morte. Pierre Touraine finit son verre. Il prit place pour la sieste.

Au moment de dormir, ses pensées voltigèrent autour du couvreur Ferratti et, dans le flou de la somnolence, il pensa qu'une seule et même image menait peut-être le monde, l'image de ce lac sombre, volcanique, enserré de collines mythiques, dans les profondeurs duquel œuvrait l'imprécateur Charon passant ses morts d'une rive à l'autre. Il repensa à l'autre rive, à l'ordre féminin primitif qu'il avait connu lui aussi, *in utero*, au cours de sa troisième semaine d'existence. Un lac, deux sexes, une porte. Il revit la petite Eloïse au service des urgences. Il lui avait parlé une heure durant, l'avait assistée. Il revit avec une clarté alarmante son visage, ses lèvres très calmes, à peine bleuies. Puis les infirmiers du service des Glaïeuls qui plaisantaient devant la porte ouverte. Enfin, son petit corps suicidé, à la morgue, roulant sous les scalpels.

Le docteur dormait. Dressé d'un seul tenant autour de lui, un vaste maillage de légendes l'isolait du monde, une sorte de charpente mythique et cruelle, sans ajour, qu'un seul personnage, tout en haut, avait mission de découvrir tuile après tuile. Giulio Ferratti restait accroché au toit pentu du Baronnet, parmi les tuiles multicolores.

Tandis que le docteur errait ainsi, vaguement coupable, vaguement dépossédé, dans les marges du sommeil, il ouvrit les yeux et vit soudain devant lui, en contrepoint des lanières orange pâle de la tapisserie, deux silhouettes de vieillards étrangement familières. D'abord celle de son père, puis la sienne propre, décatie, décharnée, qui lui tenait la main en désignant la pièce avec une grimace de dégoût. Le docteur leva les yeux, voulut chasser cette vision. Les deux formes restaient là, penchées, tremblotantes et irisées, qu'une chiquenaude aurait basculées par terre. Elles semblaient attendre quelque chose de lui.

Pierre Touraine regarda sa montre, se secoua. On l'attendait. Il était temps. Il s'octroya une dernière lampée de porto avant de descendre.

*

Giulio Ferratti considérait chaque glacier comme au premier jour, chaque mélèze, chaque anfractuosité. La grotte s'ouvrait au loin, sertie de moraines impénétrables et de bandes de brume. Ici les choses s'ordonnaient d'elles-mêmes : un ciel outremer, glacé, découpant au rasoir l'arête des montagnes ; un automne somptueux ; les couleurs et les lumières du crépuscule ; la forêt de mélèzes en feu ; et aussi le nom du photographe maladroitement gommé par Maurice Pichard en bas du poster. Minéraux omniprésents, de la glace, des rochers. Pas de torrent, pas de maison.

Pierre Touraine entra dans la salle d'attente au moment où Giulio s'éloignait du poster après cinq minutes d'intense observation. Il aurait passé des heures à surveiller la grotte… Le médecin salua, ouvrit la porte de son cabinet et désigna un petit groupe d'hommes bienveillants qui bavardaient près du bureau. Giulio avait envie de fuir.

« Asseyez-vous, Ferratti. Vous connaissez le docteur Chapouton et son assistant, du service des Glaïeuls. Luc Avelin aussi, n'est-ce pas ? Il m'a beaucoup secondé ces derniers jours. A sa gauche, un ancien camarade de faculté, ami de longue date, en compagnie de son épouse. L'une ou l'autre de ces personnes vous gêne-t-elle ? Luc surtout craignait de vous importuner... Voyez-vous un inconvénient à ce qu'il reste parmi nous ? »

Le couvreur haussa les épaules.

« Je ne sais pas ce que vous me voulez.

– Rien de particulier, Giulio. Vous êtes venu renouveler votre ordonnance. Il se trouve que nous avons rassemblé des documents qu'il serait important de vous soumettre. En quelque sorte, je profite de votre présence. Il s'agit d'un petit film, un documentaire vidéo. »

Giulio haussa de nouveau les épaules, se frotta les mains, remua sur son siège et dit en se raclant la gorge :

« J'ai du travail... Si ça ne dure pas trop...

– Une demi-heure au maximum. »

Le docteur eut un soupir de soulagement. Il sourit à ses hôtes, les entraîna vers le salon.

La vidéo débutait par des images d'archives conservées à Naples où l'on découvrait l'Averne sous un jour dont le couvreur n'avait probablement pas mémoire. La grotte de la Sibylle venait juste d'être identifiée, dégagée des remblais qui l'avaient obstruée si longtemps. C'était l'entre-deux-guerres. L'Italie de cette époque était saisie d'une extraordinaire ivresse archéologique. Les fouilles, les restaurations, les découvertes en tous genres se multipliaient d'un site à l'autre. D'extravagantes hypothèses couraient dans la région de Naples. En l'espace d'une décennie, la fameuse Sibylle de Cumes avait été évacuée des souterrains mystérieux où on l'avait cantonnée pendant des siècles, puis chassée de nouveau des ruines du Lavacro. On connaissait maintenant sa véritable retraite. Les archéologues achevaient le déblaiement du Dromos et de la grande Crypte romaine. Le site de Cumes venait d'être relié à l'ancienne Porte des Enfers. L'Averne ne désemplissait pas. Le commerce des nochers sur le lac semblait tout à fait florissant, comme en témoignait la pose satisfaite du grand-père Ferratti paradant devant les piles de son débarcadère.

Le film était de qualité médiocre et on ne put qu'entrevoir ce portrait, mais Giulio fut soudain prodigieusement intéressé.

Il bondit vers l'appareil, demanda à revoir son aïeul. Le docteur obtempéra, pianota sur la commande de la télévision. Nonno Ferratti réapparut donc sur l'étagère du haut, dans la force de l'âge, portant avantageusement moustache et rouflaquettes, montrant avec fierté une version 1930 de l'*Arco*. Le couvreur eut un sourire attendri et détailla le visage de son grand-père. Le film continua au ralenti. Ainsi, dans une lumière grisâtre, atténuée, l'*Arco* s'éloigna par saccades. Puis le batelier lui-même disparut, et le ponton à son tour, sur lequel stationnait un groupe de touristes. Le réalisateur avait voulu immortaliser les visiteurs du cratère. Ce gros plan, passé totalement inaperçu lors de la première projection, déclencha une réaction bizarre chez Giulio. Il poussa un cri de surprise, aussitôt suivi d'un ricanement diabolique qu'il essaya de refouler. Il se racla la gorge. Il se tourna plusieurs fois vers le médecin, attendant quelque chose. Pierre Touraine essayait de comprendre. Tous scrutaient désespérément le débarcadère. Giulio s'était mis à tousser.

Il toussa à plusieurs reprises. On arrêta la projection. La toux s'aggrava, se transforma en une quinte qui prit bientôt des proportions telles que Ferratti dut retourner s'asseoir en chancelant. Il s'affala dans le fauteuil, se comprima la poitrine. Le médecin pianota sur son clavier. La lumière inonda le salon. Les regards convergèrent vers

Ferratti qui roulait les yeux, toussait de plus en plus, menaçait d'étouffer. Pierre Touraine n'hésita pas longtemps. Il s'approcha, pinça le nez de l'artisan et l'aspergea de Ventoline. L'effet fut quasi instantané. Giulio cessa de suffoquer, hoqueta, cracha. Il respirait comme une forge.

« On arrête ? demanda l'étudiant d'une voix blanche.

– Je ne sais pas. Cela dépend de Giulio… »

Les invités conversaient à voix basse. Ferratti regarda leurs visages bonasses, enjoués, qui souriaient comme si de rien n'était. Il fit une drôle de grimace.

« Continuez. Je vais mieux. Ne vous occupez pas de moi.

– La suite pourrait être plus éprouvante… avertit Pierre Touraine.

– J'avais compris. Continuez. »

Le docteur voulut demander à son patient ce qu'il avait découvert de si troublant dans les dernières images, mais il renonça, craignant de le voir tousser, s'échapper à nouveau. Le couvreur haussa les épaules, s'appuya contre le mur. Le panneau de tapisserie l'isolait du reste du groupe, orange, lustré, ridicule. Pierre Touraine eut envie de le déchirer. Il avait le pressentiment que Giulio resterait maintenant inaccessible, que l'expérience avait échoué. Il soupira. Son grognement, mi-hommage mi-plainte, fit le silence dans le salon. Il semblait que les personnes présentes partageaient toutes quelques certitudes indéfectibles. Ferratti n'avait tué personne. Ses quintes remontaient à l'enfance, à une période insondable. Il était inutile de continuer.

La séquence suivante débutait par trois minutes de plan fixe, sans la moindre sonorisation. Le plan cadrait silencieusement le visage de l'archéologue Nuccio Nelli. On le découvrait en pleine conférence, dans son amphithéâtre de l'université de Naples, s'agitant devant un vaste graphique dont on ne discernait que la partie inférieure. Son corps tout entier – les mains, les épaules, la commissure des lèvres – était saisi par intervalles de tics et de trémulations trahissant une profonde fatigue. Le savant transpirait à grosses gouttes. Il ne cessait de s'appuyer au pupitre, de regarder sa montre. L'absence de son laissait planer un doute sur la façon dont allait s'achever le cours. Parfois, on voyait la main du professeur se balader dans le champ, chasser quelque chose, une mouche, un insecte, déranger le nœud de cravate, tamponner la sueur qui lui perlait au front, tambouriner sur le bureau. Nelli s'essuyait sans cesse. Il toussait derrière ses documents. Il semblait éreinté.

Il posa les mains sur le bureau, à plat, se pencha en avant et scruta intensément l'assemblée. Le plan fixe permit alors de constater que cet effet d'orateur dissimulait en réalité un début de malaise. La sueur coulait sur son visage. Il blêmit.

Alors le son revint. La prise de vues s'élargit. On découvrit un amphithéâtre bondé. On perçut la voix fatiguée du professeur annonçant la fin de son cours. Il débrancha le micro tout en assurant qu'il reprendrait bientôt le travail, dès que possible.

Puis la caméra plongea dans le vaste éblouissement crayeux du Solfatara. Giulio, qui était resté de glace, sembla de nouveau intéressé. Cette séquence était plus courte que la précédente. On découvrait le chemin qui serpentait dans le sol croûteux, la grande falaise en arc de cercle, les ruines accrochées aux parois sommitales du volcan et la barre d'immeubles, tout en haut, disparaissant sous les nuées de soufre. De petits cratères visqueux s'ouvraient partout, des jets de sable trouaient le sol. Les fumerolles couraient dans ce dédale, aussitôt dispersées par un vent de surface qui les regroupait de temps à autre par-delà les immeubles, vers l'ouest, vers la trouée de Pouzzoles.

Puis on retourna au lac d'Averne par le biais

d'un document publicitaire vantant les charmes et les mystères des environs de Naples. Le docteur Touraine avait écarté ce qui ne concernait pas le volcan. Une voix féminine commentait chaque image. On découvrit l'Arco Felice, la passe du Lucrin, quelques gravures illustrant les éruptions du monte Nuovo et les effets du très étrange phénomène bradydique. La voix rappela, alors qu'on filait sur les eaux sombres du lac, que tous les mythes, que tous les poètes, que toutes les destinées se rassemblent un jour en ces lieux de désolation. Nul n'y réside. Les oiseaux eux-mêmes ne survolent jamais le cratère. Lorsqu'ils s'y risquent, à en croire la légende, ils tombent foudroyés juste à l'aplomb du lac, comme aspirés par les abîmes où, de toute éternité, se cache Pluton, le roi des morts.

« Imbécile !... » dit le couvreur depuis son fauteuil.

Ferratti n'eut pas le temps de développer. Il allait se mettre à parler lorsque le plan changea de nouveau. Apparut sur l'écran, plein cadre, le beau visage d'Agathe Pisone. Immobile, silencieuse, la vieille putain le regardait sans ciller. Puis quelque chose dans la lisière des yeux bougea. On vit trembloter l'ourlet des paupières. De très fines dentelles, de minuscules rides strièrent les joues et les tempes, jusqu'aux cheveux. Elle souriait. Elle parlait à présent :

« Je ne sais pas ce que combine ce Français, mon Giulio. Mais c'est un fait qu'il te ressemble : gentil, intelligent, encombré de ses dix doigts comme une truie de son lard. Tu as sûrement changé de ce point de vue, n'est-ce pas ? Tu es devenu charpentier, paraît-il, couvreur. Tu dois sacrément plaire aux femmes... Lui, le cinéaste, ne m'a pas seulement accordé une œillade ! Imagine ça... Maintenant, il faut que je plante mes yeux dans cet objectif qui ronronne à moins d'un mètre, comme si tu étais vraiment là, mon grand, juste derrière. Es-tu là, Giulio ? Es-tu là, juste derrière ?

« Bon, reprit-elle après un silence, ce n'est pas le moment de chialer. Voilà, carissimo... J'ai beaucoup à te dire. D'abord, notre lac est foutu, mais ça, tu le sais, tu t'en doutes. Je n'y retourne plus, sauf avec Fidélio de temps à autre. C'est devenu un vrai bastringue, la grande baise chronométrée. Les frustrés du jour ouvrent à fond leur radio, descendent leurs vitres et se chatouillent vite fait en matant leurs voisins. On n'entend même plus les oiseaux. Tu te souviens, mon Giulio, les loriots dans le tamaris, les tourterelles, les engoulevents...

«J'ai rencontré quelqu'un qui va essayer de reprendre la guinguette et le turbin... Une petite Pouzzolane bien roulée, Gladys, fine, délicate comme un napperon de Positano. Mais bouchée à l'émeri, côté mythologie. Elle s'en fout complètement de nos histoires. Peut-être que, cette fois-ci, elle a raison, vraiment raison, Giulio. Peut-être qu'on s'est trompés sur toute la ligne.

«Cela m'amène à une première confidence. Tu te doutes que je ne vaux plus grand-chose. Je déjante. Je suis devenue aguichante comme une poubelle. Dans un sens, je me console en voyant que, de nos jours, mieux vaut être vieille, fripée, rassise. Fichues, les collègues : elles sont toutes séropositives, mon grand. Si l'Averne a une chance de survivre au love-parking, une chance de redevenir comme autrefois, ce sera grâce à cette foutue maladie. Voilà ce que je voulais te dire. Dans le temps, c'était la vérole qui nettoyait. Elle se refilait facilement, la vérole, mais on en crevait moins. Quel fléau ! Ça tombe à pic, dans un sens... Nuccio aurait bien ri devant un tel retour de manivelle...

«On arrive tout seul au problème Nelli...

«Giulio, sache d'abord qu'on t'a complètement oublié dans la région. C'est plutôt le football, ou à la rigueur la politique qui intéressent les gens. On se balance complètement de nos histoires. Peut-être y a-t-il encore ici et là quelques fidèles qui se souviennent de toi, qui te font confiance. Tu sais qui. Tu te doutes qu'ils vieillissent eux aussi. Chacun attrape sa petite bedaine d'ancien combattant. Je ne te conseille quand même pas de revenir, Giulio. Tout change ici, sauf la police. En fait, tu n'aurais jamais dû partir. Nous savons très bien que tu n'as pas tué ce pauvre Nuccio. Tu es malade, m'a-t-on dit. C'est pour ça que j'ai accepté cette caméra. Parle donc, mon grand, il paraît que ça doit te guérir, de causer… Le type qui filme en est persuadé. C'est un sensible, lui aussi. On est tous des sensibles. Giulio, si je me mets à larmoyer, il va me suivre. Il fera pareil derrière l'optique. Alors je me retiens…

« Accouche une bonne fois de tes secrets, Nocchero, et viens ici retrouver Gladys. J'ai planqué les périssoires. Les cygnes gris ne sortent presque plus. Ils sont trop vieux. Peut-être qu'ils t'attendent, eux aussi. Quelque chose me dit que les rives de l'Averne vont se nettoyer bientôt. Ce n'est pas moi qui m'en plaindrai…

« Giulio, tu ne peux pas imaginer les bourrasques qui se lèvent ici quand la maladie se met à faucher. Les clients du love-parking prennent la trouille. Tant mieux, Ferratti, mille fois tant mieux.

« Bon, je vais donner le signal dans trois secondes. J'ai tout dit. J'ai bien demandé qu'on ne filme que mon visage. Tu fouilleras ton album de souvenirs pour le reste, pas vrai ?... Gladys, elle, est au commencement du livre. Elle est belle, toute neuve. Parfois, à la regarder, j'en prends des bouffées de chaleur. Je t'aime, Nocchero. Je t'aime. Tchao bello ! »

Le mouvement s'arrêta. Le plan fixe reprit, sans sonorisation. Agathe restait immobile, arrondissait les lèvres en prononçant sa dernière syllabe. Deux fossettes lui creusaient les joues, ses yeux brillaient d'un bonheur espiègle, éternel, qui arracha un gémissement au couvreur.

Puis le film changea de rythme. Les plans se succédèrent plus rapidement.

On vit durant quelques secondes le visage éploré de Mafalda Ferratti, la mère de Giulio, répétant à une poignée de journalistes que son fils était d'un naturel timide, renfermé, mais qu'il était incapable de la moindre violence.

On entendit ensuite un médecin affirmer devant son auditoire en blouse blanche que les vapeurs émises par le Solfatara pouvaient se révéler extrêmement nocives à certaines catégories d'emphysémateux. On découvrit le love-parking, le double alignement des véhicules sur les rives du lac, les silhouettes des amants derrière leur pare-brise, les klaxons, la barrière à lever devant le ponton du Nocher.

Puis le médecin personnel de Nelli, ami de Fidélio et d'Agathe Pisone, affirma devant la caméra que l'archéologue avait souffert toute son existence de problèmes respiratoires. Nuccio ne s'en était jamais vraiment inquiété. On retourna quelques secondes au volcan du Solfatara pour assister à une explosion de fumerolles, une véritable petite éruption, le sol se soulevant et se pliant comme une feuille de carton, l'air devenant épais et jaunâtre, couvrant le cratère, dérivant peu à peu jusqu'à l'amphithéâtre de Pouzzoles.

A chacune de ces ruptures de rythme, Giulio protestait en se tournant dans le fauteuil.

Enfin débuta la dernière scène grâce à laquelle Pierre Touraine et ses collègues avaient espéré rompre le bouclier de Ferratti. C'était un document d'université. On y voyait un très vieil homme sur son lit d'hôpital, qui soudain grimaçait, roulait des yeux fous. Une horloge numérique égrenait les secondes en bordure de l'écran. L'homme étreignait sa poitrine, se soulevait dans ses draps, toussait puis crachait violemment autour de lui. Cette toux quinteuse lui raidit peu à peu les épaules, puis les membres inférieurs. Elle le rejeta en arrière et provoqua une série de spasmes respiratoires. Le corps s'arc-bouta dans le lit. La quinte semblait ne jamais devoir prendre fin. A un moment donné elle lui bloqua les mâchoires. Le vieillard commença à suffoquer. On le vit se débattre un long moment sur son lit. Ses lèvres se cyanosèrent. Il griffa la couverture, arracha sa chemise de nuit avant de retomber enfin sur l'oreiller, le poitrail défait, les yeux fixes.

Là le docteur ne perdit pas une seconde. Il alluma les lampes, s'approcha de l'artisan, lui prit les poignets et déclara avec force que l'archéologue Nuccio Nelli était un emphysémateux notoire. Le matin de sa disparition, les émanations sulfureuses du volcan de Pouzzoles avaient atteint un niveau de toxicité inquiétant. Le Solfatara lâchait dans l'atmosphère des champs Phlégréens le triple des quantités d'exhalaisons toxiques admises ordinairement. Le vent d'est s'était alors levé, dissipant le nuage. Ce fut comme un effet de la Providence. Cela permit d'éviter l'évacuation de l'ensemble des populations avoisinantes. On recensa tout de même une douzaine d'accidents respiratoires, dont deux graves, l'un suivi de décès à l'hospice de Misène…

Pierre Touraine serra le bras de Ferratti et continua d'une voix sourde :

« Vous étiez en compagnie de Nuccio au moment précis où le vent tournait en direction de la mer. Le nuage a donc survolé l'Averne. Vous ne pouviez pas le savoir. D'ailleurs, le couple de cygnes gris s'est bien gardé de vous suivre sur le lac. On ne les a plus revus depuis quelques mois. L'instinct des bêtes est infaillible, Giulio. Vous les connaissez mieux que moi. Vous n'avez pas tué l'archéologue. Il est mort dans votre embarcation, sur le lac d'Averne, au moment où vous vous y attendiez le moins. Il a succombé aux miasmes sulfureux, à ces vapeurs émétiques, toxiques et mortelles pour lui, seulement pour lui, que crachait depuis le matin le volcan d'à côté. Il est mort comme tombaient autrefois les oiseaux survolant votre royaume. Vous n'y êtes pour rien, Giulio. Pour rien ! »

Ferratti se leva.

« Je ne sais pas, dit-il d'une voix altérée. Qu'espérez-vous de moi ? Que voulez-vous donc ? Je ne suis plus le Nocher depuis si longtemps…

– Où se trouve le corps de Nelli ? demanda impérieusement le docteur. Dites-nous où vous avez caché sa dépouille. Vous êtes libre, Ferratti.

– C'est donc ça… » murmura le couvreur dans le silence général.

Il eut un temps d'hésitation et fit quelques pas dans la pièce. Luc remplit à nouveau les verres. Le docteur actionna les vitrages de son meuble. Le policier napolitain, venu sans mission et présenté comme un familier du médecin, joignit les dix doigts sous son menton. Il lança un regard pensif vers l'artisan. Giulio fit demi-tour devant la porte vitrée du jardin et longea une nouvelle fois le clavecin, le panneau en trompe l'œil. Là, brusquement, alors qu'on le sentait à deux doigts de se confesser, il sursauta et s'écria d'une voix joyeuse :

« Docteur, les colombes !... Vous m'aviez promis de me les présenter. Je les entends d'ici ! Elles sont là, juste à côté. »

Pierre Touraine essaya de protester, mais le couvreur l'ignora. Giulio tira lui-même le panonceau. Il pénétra à la seconde dans le cagibi, ouvrit la cage, saisit le vieux mâle aveuglé sur son perchoir et l'amena précautionneusement à la lumière du jour en lui ébouriffant le sommet du crâne.

« La petite femelle a disparu ? » demanda-t-il.

Le docteur montra la cheminée. Ferratti s'approcha, détailla le dessin du trumeau, vit à son pied la colombe morte. Il la caressa du bout des doigts.

«La roue d'Ixion… Elle tourne sans cesse, n'est-ce pas ?

– Oui…» balbutia Pierre Touraine qui ne savait plus comment l'empêcher de poursuivre.

Ferratti baisa les paupières closes de l'oiseau derrière lesquelles perlait un peu de lymphe, puis, pensif, le ramena à son palais ajouré. Il voulut le déposer à côté de son conjoint, resserrant les petites griffes raides sur le perchoir avec une douceur infinie. Sa main heurta la balancelle qui se mit à grincer faiblement. Un miroitement attira le regard de l'artisan. Il tourna la tête et aperçut l'objet. Il gratta le bois. L'anneau de bronze antique était empalé dans la fiente. Il vit son cadeau à Hélène serti sur le second trapèze, Vénus et l'Amour archer, son plus beau, son plus précieux bijou qui luisait sous les déjections. Il poussa un gémissement. Il arracha le perchoir, défonça l'assemblage de cuivre qui protégeait l'oiseau. La gloriette, le petit campanile ouvragé, la mangeoire plièrent sous ses doigts comme du grillage.

Le petit locataire aveugle du cagibi ne pouvait résister à ce traitement. Giulio sut que l'oiseau mourrait. Tremblant de la tête aux pieds, il le saisit, l'enleva des décombres, démonta d'un coup d'épaule la paroi en trompe l'œil de l'appentis.

Puis il fracassa la vitre du meuble de télévision. Il fit jouer manuellement le lecteur de disques compacts. Un tiroir s'allongea lentement sous son nez. Il déposa le ramier moribond sur cet emplacement immaculé et, serrant les doigts au plus touffu, provoqua bientôt le petit spasme qui libéra l'oiseau.

Puis Giulio prit la porte en courant.

4

«*Pandore*», récita Maurice Pichard en calant ses talons entre les énormes blocs de granit qui soutenaient la terrasse inférieure du cimetière. «*Pandore* (mythologie) : Femme qu'Athéna combla de tous les dons et qui reçut de Zeus une boîte contenant tous les maux. Elle épousa Epiméthée qui ne sut résister au plaisir d'ouvrir la boîte ; les maux se répandirent sur la terre. L'espoir seul demeura au fond du coffret. *Boîte de Pandore* : ce qui, avec une belle apparence, peut causer bien des maux.»

Le garçon cracha en répétant la définition. Le troisième projectile, mieux dirigé que les autres, trouva sa trajectoire idéale et frappa son but de plein fouet. En dessous, le grand hêtre impassible reçut l'affront sans réagir. Le crachat se défit, se lamina en filaments. Rien de méprisable pour Maurice. Rien qu'on ne puisse décrire. Cette dentelle luisante, sécrétoire, il l'avait lancée cent fois, observée cent fois, cent fois poursuivie. Elle représentait quelque chose.

La mucosité s'étira dans le soleil d'automne. Trop heureux de la diversion, Maurice l'observa avec le plus grand soin. Elle prit bientôt ses distances avec le flamboiement végétal. Elle se détacha lentement de son support, se dispersa peu à peu en d'invisibles fils peu ragoûtants, tomba dans le taillis, dans l'ombre, dans l'humidité du dessous. Le jeune boucher voulut cracher de nouveau. Mais la lumière quittait le flanc occidental du barrage. Il abandonna à regret son examen pour revenir à la définition du dictionnaire.

«*Boîte de Pandore*: ce qui, avec une belle apparence, peut causer bien des maux…»

Cette description le rendait malheureux. Il rejeta sa mèche et regarda la rampe d'escalier qui entaillait la grande muraille du cimetière. Tout en bas luisait le barrage, si difficile d'accès. Quelque chose lui disait que Giulio était toujours au Sonnant, qu'il vivait peut-être là-bas maintenant, quelque part dans cet enchevêtrement de lacets, d'épingles à cheveux. Le jeune boucher suivit des yeux la route, puis tenta d'en reconstituer mentalement les méandres. C'était compliqué, il n'y parvint pas. Il grogna de nouveau, mécontent, et finit par se demander ce qu'il faisait ici, à guetter le mur d'un cimetière, plutôt que d'aller reprendre son travail.

Il commença à lancer des pierres dans le lac, sifflota, imagina une variante à la chanson favorite de sa mère, observa le départ des camions de voirie en dessous du parc, supputa les chances de réélection du maire, finassa, ergota, souffla dans ses mains, se dépensa sans mesure dans l'espoir de dissiper l'angoisse qui l'étreignait.

Giulio était parti. L'artisan avait récupéré son chien dans la maison des Avelin, il avait du même coup volé le perroquet infirme, puis disparu... Tout ceci à la suite d'une réunion chez le docteur dont chacun parlait sans savoir.

Maurice Pichard tira un objet de sa poche pour occuper ses doigts, son objet préféré, la chose qu'il gardait presque toujours sur lui : un bout-du-monde. Il le gonfla, en contrôla la propreté et l'élasticité avec le gras du pouce, en mira la texture dans le soleil. Cette substance visqueuse et familière, striée d'un lacis complexe d'aponévroses, d'adhérences et de vaisseaux minuscules, ressemblait vaguement au crachat de tout à l'heure, et même à la route sinueuse du barrage. La tripe montrait une robustesse à toute épreuve malgré son apparente fragilité. Le garçon boucher, qui ne savait que faire, qui errait dans ces pentes comme une âme en peine, qui ne voulait plus penser à rien, regarda en filigrane son objet fétiche et, peu à peu, perdit pied, se fondit dans le monde incompréhensible de la matière.

Il considéra l'amitié qui l'unissait à Giulio depuis le retour de l'hôpital, ou plutôt depuis que Motardon, le gardien de nuit, l'avait renversé à coups de poing devant l'église Bénicroix. Ce jour-là, les manifestations du Baronnet dégénérant, Ferratti avait accepté les sévices avec un drôle de regard alarmant, des yeux résignés, fatalistes, utilitaires. Maurice était garçon boucher, il savait comment les bêtes se démêlent avec la mort. Il connaissait ces yeux consentants, à peine striés de rouge, voilés d'un étonnement enfantin.

Pichard dégonfla le bout-du-monde. Il cracha de nouveau vers la grande coiffe végétale qui s'allongeait jusqu'au lac, et pensa à Hélène Vallier. Giulio aimait Hélène Vallier.

Puis le soleil lança son filet sur le lac, une mantille de lumières accordées aux dominantes rouges et ocre de l'automne, une sorte de gabarit poudré.

Sans trop s'interroger, Maurice balbutia une prière et n'éprouva plus que de la tristesse. La tristesse lui allait bien. Giulio Ferratti n'était plus là. Il dérivait peut-être dans ses souvenirs, rêvait d'Eloïse ou de ces dieux antiques qui fascinaient tant son entourage, des histoires à coucher dehors, des trucs à tournebouler la tête, à vous rendre fou.

« *Pandore*, répéta Maurice Pichard. *Boîte de Pandore* : ce qui, avec une belle apparence… »

Il se rappela les séances de catéchisme de son enfance, les leçons à réciter : le Christ fait homme, le Christ mort sur sa montagne pelée en rédemption des péchés… Et Giulio ? s'interrogea Maurice en osant le plus hasardeux des rapprochements. En rédemption de quoi ? Pour les péchés de qui ? Et pourquoi descendre maintenant vers ce lac artificiel si profond, si noir ?… Il soupira, considéra une nouvelle fois la tripe de cochon boursouflée, translucide, fine comme des cheveux, puis se dit qu'à vivre ainsi dans les pas de Giulio Ferratti, il aurait déjà dû comprendre son secret, détecter sa nature véritable. Maurice le faisait toujours avec la viande, sans même la renifler. Il la tâtait, la sondait du bout des doigts, savait tout d'elle en une seconde.

Il marcha le long du mur.

Dans le creux de sa main se débilitait peu à peu la matière tiédasse. Il la roula entre pouce et index. Soudain, il courut en bas du contrefort, vers une petite fontaine à pompe vert bronze, le genre de point d'eau qu'on ne trouve plus que dans les cimetières. Il y remplit sa tripe. Il retourna au promontoire. Il tenta de siffler comme le lui avait enseigné le couvreur peu avant sa disparition, sans grand succès. Au troisième essai, l'écho retraversa le lac. Il espéra une réponse de Giulio. En vain. Il haussa les épaules et décida alors de s'en aller pour de bon. Il fit tournoyer le boyau gonflé d'eau au-dessus de son crâne et, au maximum de l'accélération, le lança vers le ciel. L'objet partit à l'horizontale, droit devant lui, fila comme une bombe vers le faîtage des hêtres. Il s'empala sur la plus haute tige. L'eau fusa tout autour en un millier de particules dorées. L'explosion de lumière resta un temps comme suspendue au-dessus du barrage.

*

Hélène et Luc Avelin descendaient l'ancienne rampe du cimetière. Ils entendirent les sifflets de Maurice Pichard mais, après une seconde d'hésitation angoissée, convinrent qu'il leur manquait la stridence, la tension déchirante de la modulation Ferratti.

« Trop tard !... » dit l'institutrice en grimaçant.

Elle venait de fermer sa classe.

Elle avait retrouvé Luc au bout de l'allée, sur le terre-plein du Baronnet où stationnait depuis trois jours la camionnette blanche du couvreur. Ils avaient une nouvelle fois visité de fond en comble le pavillon, appelé, fouillé le bois. Giulio restait introuvable. Ils s'étaient alors assis dans le théâtre de verdure entourant le petit édifice. On y voyait à nouveau des fleurs, des colchiques. L'étudiant en avait cueilli un bouquet, laissant la jeune femme filer jusqu'aux terrasses. Le temps était d'une douceur exceptionnelle. Ils avaient dévalé la rampe l'un derrière l'autre, nu-tête, en chemise.

Luc la rattrapa à l'endroit de l'ancienne esplanade, sur le vaste parking du cimetière dont se vantait à présent la municipalité. Son père, maître Avelin, venait de le faire goudronner et subdiviser en une cinquantaine d'emplacements marqués à la peinture. Tous ces casiers étaient vides. Plus loin, dans la partie récente, les nouvelles concessions montraient le même genre d'alignement méticuleux, rationnel.

« Nous savons ce qui a provoqué la quinte de

toux. Nous avons découvert ce qui a déclenché sa crise. »

Il se pencha de côté, vers Hélène, et ajouta d'une voix contrite :

« Tu ne m'écoutes pas. Cela ne t'intéresse plus…

– La crise que vous aviez programmée à la fin, n'est-ce pas ? Elle a déjoué votre attaque, cette crise, elle est venue exactement au mauvais moment. Vous ne l'attendiez pas si tôt. En tout cas, pas avant l'estocade du vieillard emphysémateux… Quelles méthodes, Luc ! Je vous avais mis en garde. Comment provoquer de pareils effondrements ? De quel droit ?

– S'il te plaît…

– J'ai ma part dans ce désastre, reprit Hélène. J'ai eu tort de me débarrasser de l'anneau. Cet objet est aussi en cause. J'aurais mieux fait d'écouter Pierre Touraine… As-tu remarqué, Luc, que nous agissons tous au pire de nos moyens, comme si c'était finalement lui, Ferratti, qui nous mettait à genoux ? Le sort s'est acharné depuis le début. Rappelle-toi le Baronnet.

– Quoi encore, le Baronnet ? demanda l'étudiant, agacé.

– C'est à ce moment que tout a commencé, lorsque son chien a mordu Pichard. Et à cause de mes élèves aussi, qui paradaient alentour comme de petits coqs. Giulio s'est occupé de tout le monde. Trois jours plus tard, après l'enterrement, il lui a fallu retenir sa bête à nouveau, mais, cette fois-ci, entre deux cortèges, avec ton perroquet sur l'épaule, face à la meute. Pourtant, Giulio Ferratti avait pris soin de ne pas l'emmener, ce chien. C'est toi, Luc, qui avais détaché Caronte…

– Toujours ton truc ! protesta l'étudiant. On pourrait croire que c'est plutôt le décès de ta mère qui a tout déclenché, ou bien ton apparition à toi, ma Proserpine, renaissant peu à peu des cendres de l'hiver… »

L'institutrice se pencha sur une tombe dont elle déchiffra l'inscription avant de souffler d'une voix aigre :

« Alors, tu devrais nous remercier, Giulio et moi…

– Ne grince pas, Hélène.

– Qu'avez-vous découvert après cette séance ?

– Tu veux savoir quand même, non ? Eh bien, imagine que parmi les visiteurs qu'on voyait sur le ponton, au beau milieu du groupe de touristes, figurait Nuccio Nelli en personne. Le petit Nuccio Nelli, très jeune, dix ans maximum, en culotte courte, tenant une casquette et un cerceau. Ferratti l'aura reconnu. La ressemblance est assez frappante, on voit tout de suite l'air de famille. Son père et son grand-père étaient déjà archéologues. Les Nelli ne se mélangent pas. Ils composent une véritable lignée de savants. »

L'institutrice leva le nez, regarda autour d'elle. Soudain, elle enfila la première allée en criant à l'étudiant de remonter avant elle. Habituellement, Luc appréciait ses volte-face, cette façon de prendre le monde de revers. Mais là il fut désappointé. Il suivit Hélène entre les tombes. Ses appels furent comme absorbés, retenus de manière quasi réprobatrice. Le vent feintait dans les arbres. Il frisait l'eau du barrage.

*

Pierre Touraine entamait au même moment son repos quotidien dans le fauteuil, devant la tapisserie orangée. En haut du trumeau, châtié pour son audace et ses amours présomptueuses, Ixion tournait imperturbablement sur la grande roue en plâtre.

A ce même moment, Maurice Pichard lançait impeccablement son bout-du-monde vers le soleil déclinant sur le lac. Ainsi le conduit naturellement obturé des mammifères, l'étrange tripe fermée de notre espèce, gonflée de liquides, gonflée de savoir, s'empalait contre le flamboiement ocre-rouge des grands bois. Elle fusa en mille explosions de lumière, d'embruns, de rosée.

*

Hélène évita l'allée où reposait sa mère. Elle avança derrière Luc. Elle lui saisit la taille en poussant un petit cri. Puis elle lut à voix haute l'inscription du caveau qui leur faisait face.

« C'est l'épitaphe de l'ancien pharmacien Sottet, le vieux Voltaire… avertit Luc.

– On dit qu'il n'appréciait pas du tout ce surnom.

– En tout cas, c'était un original. Cultivé, aussi. Il venait souvent à la maison.

– Sortons, dit soudain l'institutrice. Je crois qu'on s'est fourvoyés. Pourquoi Giulio se serait-il encombré de son chien et de ton perroquet, s'il projetait vraiment de partir ? Tu n'étais pas là quand il est venu pour les animaux. Il est entré comme un fou dans la maison de l'avenue des Flandres. Il n'a même pas sonné, ne m'a même pas vue. Il a trébuché sur le portemanteau, a renversé table et chaises dans la cuisine, claqué toutes les portes avant de trouver le réduit où dormait Trousse. Caronte s'est mis à le suivre pas à pas en tremblant. J'ai tenté de lui parler, de le raisonner. Il m'a regardée avec ses grands yeux noirs. Un mépris, dans ces yeux-là!... J'ai balbutié que j'avais encore peur maintenant, qu'il m'avait toujours fait peur, qu'il n'y avait que cela autour de lui: de la peur, de la peur! On ne peut pas vivre avec autant de peur, n'est-ce pas?...

«Il raclait le sol du bout de la chaussure, dessinant de petits cercles qui n'en finissaient pas. Il m'a dit que la vie le minait, que la peur était pour lui, à l'intérieur de lui, déposée par les autres. Il m'a dit que les mythes le rongeaient, qu'il aurait dû étudier comme tout le monde, mais que c'était impossible.

«Il me fixait en tremblant comme son chien. Puis il a saisi le perroquet dans ses bras et a chuchoté qu'il aurait voulu avoir des enfants. Je crois qu'il aime les enfants. Avec les enfants, il ne sent pas la peur. Il dit que les enfants sont neufs, ronds, lisses comme des cruchons, qu'ils acceptent tout comme ça vient. Ensuite, il a parlé du boucher, Maurice Pichard, et là, il s'est un peu animé. Soi-disant que Maurice est comme neuf, lui aussi, roulé comme du bon pain, et que, par contre, nous, nous sommes tous des vautours, des rapaces prêts à nous dévorer mutuellement le foie. Il a envoyé bouler une chaise en parlant de

Prométhée, de l'Averne. Et puis, d'un coup, il m'a dit que ma mère Raymonde lui manquait, que le lac l'appelait, que la terre lui manquait. Il s'est approché de moi, le perroquet ballottant sur son épaule, et m'a demandé de l'embrasser. Je n'ai pas pu, Luc ! Je n'ai pas pu…

« Alors sans un mot, sans se préoccuper de la nourriture, de l'os de seiche, du harnais, il a emmené Caronte et le perroquet infirme… »

L'étudiant la regarda avec des yeux éperdus.

Hélène inclina deux fois le visage, puis se tourna vers la montagne.

*

Maurice Pichard quitta son observatoire en bougonnant. Il avait résolu de ne plus jamais réfléchir, sinon à la boucherie, à ses projets de mariage et aux élections. Il crachait toutes les dix secondes. Son gros corps l'encombrait, suait, suintait comme après la cuite du dimanche soir. La rampe permettait de gravir d'une traite le premier ressaut. Il dut s'arrêter à mi-parcours et se changea les idées en sifflotant l'air du *Pont de la rivière Kwaï*, l'air des troufions, une chanson idiote, ringarde, très cadencée.

Il choisit le second escalier, atteignit les terrasses et là, aperçut Luc et Hélène qui s'embrassaient entre deux grilles. Maurice rougit jusqu'aux oreilles. Il serra les lèvres, crispa les poings. Il les aurait volontiers passés au hachoir, ces deux-là. Il préféra se cacher. Loin des regards, loin de l'amour.

Après un long détour dans les coupes de bois communales, il finit par s'asseoir sur le contrefort du cimetière, laissant battre ses pieds, regardant le lac artificiel et le trouvant de moins en moins remarquable, moins beau. Puis il se planta l'index gauche dans le menton et banda les muscles de son corps encombré.

*

Giulio jeta un coup d'œil circulaire sur la crique où il s'affairait depuis trois jours. L'Yeuse, la rivière du Sonnant, tombait non loin de là en se jetant d'un bond dans le lac. Le bruit était assourdissant mais ça le protégeait des visites. On ne pouvait le voir de nulle part. Il acheva d'arrimer Caronte et Trousse-galant dans la première périssoire. Les deux bêtes vivaient de nouveau ensemble. Elles avaient retrouvé leur maître véritable. Elles étaient heureuses. Le couvreur ne cessait de les observer, de s'émerveiller de leur bonheur. Ni le perroquet des Avelin, ni a fortiori son chien bâtard n'avaient jamais manifesté la grâce altière, un peu condescendante, des cygnes de l'Averne. Mais ces deux-là s'aimaient vraiment. Les deux princes gris perlé de l'Enfer, eux, ne s'aimaient guère.

Nuccio Nelli lui avait confié en grimpant pour la dernière fois sur le pont de l'*Arco* (cette conversation revenait à chaque minute) que le Dieu des chrétiens, prenant la fantaisie de se réduire à l'état d'humain, avait lancé l'idée du partage. Selon Nuccio, les deux cygnes gris de l'Averne devaient surgir de l'époque précédente, car ils vivaient juxtaposés, sans partage, comme les dieux antiques. Les anciens héros s'illustraient en traversant leur propre légende côte à côte, coûte que coûte, aimant et souffrant par inadvertance. Évidemment, si les héros antiques avaient connu cette joie d'être liés, d'exister au préalable l'un par l'autre, comme Caronte et Trousse-galant, chacun à travers l'autre, s'ils avaient connu cette compassion…

Non, Giulio ne voulait pas faire advenir le visage de Nuccio. Il ne voulait pas se souvenir… Ne plus penser à rien.

Il contrôla le panier de fortune où reposait le

petit infirme, une nacelle bricolée avec des tiges et des résines. Il caressa l'encolure de son vieux chien, lui flatta l'échine, massa le cuir distendu de ses joues, de ses babines, fourra le poing dans sa mâchoire en grognant. Très vite, Caronte crut à un jeu. Il se mit à japper, bondit dans la périssoire, menaçant de tout déséquilibrer. Giulio l'embrassa. Le chien sembla rassuré. Il prit place dans l'embarcation en posant son museau contre la nacelle de Trousse-galant. L'oiseau fourragea du bec sous ses rémiges clairsemées, prit des airs, se gratta l'occiput et glissa dans l'oreille du chien, confidentiellement, un extraordinaire « Y a pas le feu au lac ! », rehaussé de son inénarrable pointe d'accent lausannois. Giulio y perçut toute la beauté du monde qu'il voulait quitter. Les animaux le regardèrent avec des yeux confiants, le pressant de partir.

Alors Giulio assura la ganse qui reliait les deux embarcations, lança son talon contre un nœud de racines, et les esquifs glissèrent sur le miroir, sans un bruit, coupant la surface du barrage comme des lames. Le bruit de la chute d'eau s'estompa peu à peu dans leur dos. Un silence étonnant prit possession du lac. Le couvreur reposa la godille, se mit debout et, dressé vers le Sonnant, les deux jambes campées, lança l'immuable sifflement du

Nocher entre les hautes mâchoires de la retenue. Son appel résonna et claqua de la plus fantastique des manières. Caronte baissa les yeux, acquiesça d'un grognement et s'allongea.

Ferratti prit les rames pour mener les canots au centre du lac. Il ne craignait rien. La compassion n'avait pas grande signification dans la bouche d'un ingénieur comme Nelli. Nuccio Nelli n'avait rien fait pour sauvegarder le site de l'Averne. Il suffisait donc de se concentrer sur le mouvement des bras, et tout redevenait insignifiant. Sa cadence trouvée, Giulio siffla l'air des plâtriers en observant les quatre prunelles qui suivaient chacun de ses gestes, les quatre yeux qui oscillaient en rythme au milieu du grand bassin artificiel. Tout de même, il y avait quelque chose de décevant, de trop servile dans ces yeux-là. Mais Giulio était saturé de leçons. Il ne voulait plus penser. Il saisit l'élingue, rapprocha les deux canots, dégrafa Trousse de son perchoir et lui bagua le moignon avec l'anneau antique. Vénus et l'Amour archer, récupéré dans les déjections de la petite femelle aveugle, trouvaient un nouveau maître.

Giulio n'arrêtait pas de siffler.

Cette chanson-là, *Le Pont de la rivière Kwaï*, propulsée quelques centaines de mètres plus haut par les grosses lèvres de Maurice Pichard, franchit aussitôt les frontières, puisque Gladys, la petite prostituée de Misène, se mit soudain à la siffloter sans raison tandis qu'on la besognait devant le cratère, dans la guinguette de Carlo Pisone. Là, en plein boulot, elle reçut une paire de gifles, une bordée d'injures. Elle fut à deux doigts de larder la fine graisse de son client avec le stylet de Tolède qu'elle gardait dissimulé sous sa taie d'oreiller. Elle réussit à se maîtriser. Puis elle pleura, ce qui ne lui arrivait jamais. Elle dut ensuite accepter que le petit employé essuie ses larmes. Elle singea la reconnaissance.

Elle pleura encore. Cette fois sans raison.

*

Passé la guérite rouge de la télévision, il ne restait qu'à contourner la bibliothèque et l'ivoirier avant de revenir au point de départ. La visite du salon s'achevait donc devant une collection de livres anciens : des maroquins, des basanes, des encyclopédies jamais ouvertes, tout un alignement d'emboîtages, de coiffes, d'endossures dont le docteur ne se lassait pas d'admirer le tranquille, l'immémorial assortiment de teintes et de tons. Parfois, les jours de paix, il finissait son second porto en parcourant, presque sans les lire, quelques poésies de Catulle ou de Gongora ; ou bien en feuilletant le *Dictionnaire de la conversation* (*Répertoire des connaissances usuelles,* Firmin Didot, 1847) dont un volume traînait toujours sur l'écritoire. Il n'ouvrait jamais de romans. Ce qu'il aimait surtout dans ces livres, c'était leur qualité tactile, la graisse lissée de l'elvézir, la façon dont les feuillets restaient liés en cahiers, cousus à la reliure, craquant d'un son particulier, jamais le même, un bruit qui décourageait en fait la lecture. Le docteur choisissait son ouvrage selon la taille, le bruit, la couleur, la position dans la bibliothèque, puis l'emportait jusqu'à son fauteuil pour une consultation qui se révélait prétexte à nouvel apéritif.

Il venait de franchir la zone endommagée du trompe-l'œil. Le casier des disquettes et des composants électroniques lui parut plus insolite que jamais, avec sa péremption quasi instantanée qui obligeait à un renouvellement sans fin. Ne restait plus que l'étape de la bibliothèque. Il choisit son livre. Revint au fauteuil.

La femme de ménage avait tiré les volets de la porte-fenêtre. Le docteur pesta contre cette initiative tolérée seulement quelques jours par an, au plus fort de l'été. Il réalisa du même coup qu'il n'avait pas encore bu une seule goutte. Il eut un accès de peur brutal, irraisonné, qu'il repoussa en se servant l'un après l'autre deux portos et en s'obligeant à feuilleter son livre jusqu'au bout.

L'Amour des âmes (*ou Réflexions affectueuses sur la Passion de Jésus-Christ*), par saint Alfonso de Liguori, 1867, traduit de l'italien par l'abbé Marguet, vicaire général et chanoine de Nancy.

Pierre Touraine fronça les sourcils. Il ne se rappelait pas qu'il possédait un tel ouvrage. Il se gratta la tête, fouilla sa mémoire. Il ne poursuivit pas longtemps ses recherches. Le sifflet du couvreur Ferratti roula soudain dans le lointain et le fit sursauter. C'était bien la stridence dont on lui avait maintes fois parlé. Giulio était au barrage. Le docteur voulut se lever, courir là-bas comme les autres, mais, finalement, il se rassit dans son fauteuil en maugréant.

« Des hasards… Rien que des hasards… des événements, des coups du sort… Pour mener une existence dans ce lacis d'imprécisions, de coïncidences, d'amours fortuites, il vaut mieux s'assurer l'appui d'un non-événement parfait. Un rituel, une pratique inutile, effrontément alogique. »

Il savait que l'inventaire de son salon était grotesque, mais il le pratiquait chaque soir comme un rite privé, assuré d'en tirer profit. Le docteur professait qu'une vraie lucidité ouvre à une infinité de jeux. Observer avec maniaquerie et sans motif les objets encombrant sa table de travail revenait sûrement à la nettoyer. Il ne touchait à rien, il avait le sentiment de faire table rase. Le coup de balai qu'il donnait ainsi chaque soir autour de lui, ramenant l'existence aux plus petites variations de son rite, ce simple devoir de propreté lui était parfois bizarrement retourné. Dernière gifle en date : la crise de Giulio durant le film. Chacun avait souffert. Lui-même en gardait des marques.

Le docteur pensa au love-parking, à cette Agathe Pisone qu'il n'avait pas connue, aux mythes qui continuaient à s'enlacer dans les parages du Sonnant comme dans ceux de Cumes, de Naples ou d'Athènes. Tout cela lui semblait procéder d'un simple problème digestif. Pas de question inutile dans l'estomac, pas d'arbitrage : des repas, des bolées successives, incontrôlables, des sucs en quantité.

Le docteur imagina ensuite que la beauté de certains gestes pourrait bien, à elle seule, tout arbitrer. Il songea aux enfants d'Hélène posant furtivement leur main sur les perrons de l'avenue. Il haussa les épaules, quitta ses pantoufles, renifla sa tabatière anatomique.

Il prêta l'oreille. Plus rien sur le lac. Il s'affala dans son fauteuil, se comprima les tempes, voulant recevoir ce qui lui était imparti de souffrance. Là, mystérieusement, cette sorte de faveur lui fut accordée après que l'eut traversé l'intuition que lui et ses amis du Sonnant se trompaient de porte, que Giulio était un ouvrier, que l'Occident ne savait qu'enterrer les idéologies les unes après les autres, leur tourner le dos, laissant à quai les ignares et les fragiles, les affamés, les petits, les poubelles. Il entonna trois mesures de *L'Internationale*, sourit de son audace, oublia d'un coup le lac des morts, le Nocher et même la roue d'Ixion. Il souffrit, tout simplement.

*

Giulio plongea le long du barrage, tout près du voile de béton. Il fut surpris par le froid de l'eau. Il fit quelques brasses à l'aveuglette, vers les profondeurs, pour observer comment l'obscurité surgissait dans ce lac, comment s'y diluaient les lumières du ciel, les couleurs.

Puis il remonta.

Nelli disait encore que la compassion, la souffrance partagée avait écarté l'homme de son destin. Qu'il suffisait, de nos jours, de ne rien connaître, ne rien savoir, d'être innocent pour ressembler aux dieux. Que la miséricorde seule peut arrêter le monde, comme le sexe, ou la culture, ou le Christ implorant son Père au mont des Oliviers. Giulio prit une nouvelle inspiration.

Ses pieds jaillirent entre les deux périssoires.

Cette fois, il longea la muraille de la retenue qui fuyait infiniment sous ses yeux et lui rappelait le calme mortel de l'Averne, l'ordre des dieux, la visée des hommes. Le béton était immobile et verdâtre. Il retenait l'eau. L'énorme mur devenait de plus en plus stable, de plus en plus lourd et puissant au fur et à mesure qu'on s'enfonçait dans les ténèbres. Giulio songea à la cambrure du monde. Bientôt, il n'eut plus à nager. Rien d'autre à faire que se laisser conduire. Quelque chose le guidait vers le bas, l'aspirait. Ses oreilles et ses tempes se mirent à bourdonner. Le flux acquit un débit étrange et s'organisa. Giulio s'y glissait comme une anguille. Il perçut l'enclume, la vaste mâchoire de bronze qui lui pressait les oreilles comme un étau.

Enfin, une seconde après, il vit les deux yeux qui l'attendaient tout en bas, luisant faiblement dans le tourbillon des bulles et des légendes. Il sourit, vida ce qui lui restait d'oxygène. Il fusa comme un insecte vers les deux grandes pupilles bleuâtres, bétonnées, tronconiques, où se précipitaient en bouillonnant les eaux du barrage.

Il lança son pied.

Ses yeux se plissèrent en coin. La vitesse était fantastique. Il faillit se disloquer exactement à l'endroit prévu, là où l'eau s'engouffrait dans les grilles du captage intermédiaire, à mi-hauteur de la paroi de béton. Il sollicita une dernière fois son énergie avec cette volonté farouche, bestiale, qu'avaient développée en lui ses anciennes habitudes de nageur. Il se tendit comme un arc. C'était une sorte de jeu. Ferratti gagnait. Il voulait gagner. Il déjoua les manigances de l'eau.

Giulio se plaqua lentement, centimètre par centimètre, contre l'âme du barrage. Il sentit le mur qui l'accueillait. Il s'aplatit sur le béton, peau contre peau, songeant au roi Mézence qui tuait ses ennemis en les rivant de la sorte à un cadavre. Lui ne se rivait nullement à la mort, mais à la survie. Un film d'eau presque tranquille, insolite, ascendante, s'organise toujours en marge des plus grands tourbillons. Giulio le savait. Il s'y glissa peu à peu, s'accrocha au béton, ignora le flux qui bouillonnait à moins d'un demi-mètre.

Ainsi, à l'abri des regards, à l'abri de la compassion des hommes, Giulio Ferratti remonta paisiblement vers la vie. Il convenait de tout effacer derrière lui. Rejoignant la berge en nage coulée, il eut trois regrets, trois pensées, ses dernières pensées de héros.

L'une pour Mafalda, sa mère, et aussi pour Maurice Pichard, le boucher, qu'il fallait laisser dans une complète ignorance. Il ne le voulait pas. Il sortit de l'eau, se cacha sous un bosquet, regarda les pentes qui montaient vers la ville, les terrasses du cimetière. Il salua ces lieux. Il embrassa ses amis.

L'autre pensée fut pour le chien Caronte et le perroquet. Ceux-là resteraient toujours des demi-dieux. Ils devaient mourir là, fixés dans leur magnificence. Il les embrassa.

Il pensa ensuite à Hélène Vallier, Perséphone, sa belle Proserpine. Elle allait souffrir, frôler la mort elle aussi, connaître la réclusion. Mais elle reviendrait au printemps, avec les narcisses. Il l'embrassa. Il embrassa trois fois le lac.

Avant de fuir définitivement les lieux, il but trois goulées de cette eau.

*

Le chien Caronte n'hésita pas une seconde. Le vieux cerbère croyait suivre son maître. Il rejoignit les eaux artificielles sans le moindre remords, ne se préoccupant que de ne pas trop déséquilibrer l'embarcation au moment du plongeon. Il rendit ainsi son vieux pelage à Pluton, tout comme ses souvenirs et sa fidélité de chien.

Trousse-galant, qui ne savait ni pleurer ni rire, continua de dériver sur le lac, seul dans sa nacelle de fortune, la ganse glissant au fil de l'eau, la périssoire ondulant paisiblement vers le centre du barrage.

5

Pierre Touraine fit un somme. Parmi le groupe de personnages qu'il allait croiser dans son rêve, il y en avait un qui se révéla difficile à suivre, à situer. Il s'agissait d'un grand mendiant hirsute, entre deux âges, qui errait dans la campagne en clamant à qui voulait l'entendre, une main levée devant les yeux, qu'il n'accepterait plus jamais d'être témoin. Ni témoin, ni acteur. L'homme avait soif. Arrivé devant la fontaine, il dut baisser le bras. A la seconde, le médecin se reconnut. Le chemineau regardait furtivement derrière lui et but très vite. Au moment où l'eau de la fontaine toucha ses lèvres, le vœu du rêveur s'exauça : Pierre Touraine devint le messager des dieux.

Les cieux au-dessus des grands bois s'ouvrirent. Le parc et le pavillon du Baronnet apparurent dans le soleil couchant. Lui, le vieux célibataire, avec ses pieds ailés et son audace de jeune homme, osa alors approcher les passants et leur glisser son message à l'oreille. Il fallait regarder l'avenue des Flandres, les grands érables qui flamboyaient, le Baronnet dans le lointain, la succession de perrons ocrés. Il leur soufflait aussi d'aller jusqu'au numéro six, à droite, de se baisser sous le pilastre, de découvrir le blason du sculpteur Rodier. Ce conseil-là était de la plus haute importance. Il clamait aussi qu'à partir de maintenant, lui, le messager, n'aurait plus à juger des importances. Ni à juger de rien.

Il fallait encore intercéder en faveur du charpentier Ferratti dont le visage venait de surgir à l'improviste sous ses yeux. Au moment de formuler ce dernier souhait, il ressentit la soif de tout à l'heure. Il dut retourner à la fontaine. Il traversa l'avenue, contourna l'église Saint-Hippolyte. Là, il fut interloqué. Il n'y avait pas de point d'eau sur la place Bénicroix, pas de fontaine. Il n'y en avait jamais eu.

Le docteur se réveilla en sursaut, se dressa, se frotta les yeux. On sonnait à l'entrée. Il entendit des pas.

*

La boîte résistait.

Maurice dut retourner deux fois chercher des outils. Cette course du Baronnet au magasin paternel l'essouffla comme un vieux. Il longea le kiosque à musique, se traîna jusqu'au bosquet de hêtres qui marquait la limite des bois communaux. Puis il traversa l'allée des Nobles, s'affala sur un tas de rondins qui regardaient la trouée du barrage. L'écorce des arbres était tout humide, elle partait en lambeaux, elle sentait la fougère. Le sol était jonché de faines.

Le petit édifice l'attendait dans sa combe. Après les journées d'attente, de guet, d'inquiétude, Maurice eut plaisir à se servir de nouveau de ses mains. Il frappa à grands coups désordonnés sur le mur du pavillon. Il défonça le travail de Giulio, le grillage, les deux couches d'enduit. Il atteignit la cache. A un moment, son index traîna sous le marteau. L'ongle sauta comme une capsule. Maurice hurla, se mit à danser sur le plancher du pavillon en secouant sa main. La douleur cuisante, immédiate, impérieuse, lui fit du bien. Elle ramenait son corps sur le devant. Il se confectionna une poupée de fortune. Puis il descella peu à peu la boîte.

«*Boîte de Pandore*: ce qui, avec une belle apparence, peut causer bien des maux...»

Dans la pénombre du Baronnet, les mains serrées, Maurice contempla les bandes de plomb enfermées par Giulio Ferratti. C'était là toute la fierté de Carlo Pisone. Les plaques avaient une épaisseur, un poids et un grain singuliers. Il les contempla longuement, passionnément. Il se mouilla l'index et frotta le métal. Le plomb ne tachait plus… Maurice savait que le plomb continue de tacher pendant des siècles. Il eut un sourire. Les siècles finissaient donc aussi.

Puis il voulut reboucher l'excavation, mettre en place une nouvelle boutisse, restaurer l'appareillage du mur. Mais le temps pressait. La nuit tombait sur le théâtre de verdure. Alors il abandonna son travail.

Il fila au barrage.

Parvenu sur la rive, sans la moindre hésitation, Maurice Pichard se délesta d'un coup. Il jeta la boîte de Pandore au plus loin, au plus profond des flots. Il noya sans remords l'espérance des dieux.

Puis, dans l'urgence d'agir encore, d'avancer, de transpirer, il courut sur le chemin sommital du barrage. Maurice craignait le vertige. Pourtant, il fit ce qu'il avait à faire. Il avança au plus haut de la voûte, sur ce fil de béton tendu d'un jet dans le resserrement de la vallée. Il buta contre les grilles interdisant l'accès du chemin de ronde. Il les escalada, déchira ses habits. Il progressa jusqu'au centre de l'ouvrage, jusqu'à l'endroit où les périssoires battaient le flanc de la retenue. Il dut encore descendre en plein ciel quinze mètres d'échelons métalliques. Il accomplit ainsi son devoir de garçon boucher, à reculons, serrant les dents, plissant les yeux, suant comme une bête.

Le perroquet Trousse-galant se laissa saisir sans la moindre résistance. Maurice retourna du pied les deux esquifs. L'étroit fuselage du Nocher s'enfonça en premier dans le lac. Maurice mit l'oiseau dans un plastique. Puis il resta immobile, accroché comme un insecte au-dessus du miroir qui clapotait, au-dessus de l'invraisemblable épaisseur d'eau. Il lui sembla que le béton du barrage vivait, peinait, travaillait là, tout près de lui, arc-bouté comme lui, contenant et retenant comme lui ce qui lui était échu de poussée.

*

Sortant de son rêve, percevant des bruits de pas, puis des voix dans le corridor, entouré par l'obscurité familière du grand salon acajou, le docteur Touraine essaya de rappeler une dernière fois devant ses yeux les traits de Giulio Ferratti.

Ils étaient si nets, tout à l'heure… Le grand trumeau de la cheminée continuait de luire dans le faux jour. Ixion embrassait son leurre, étreignait ces somptueux nuages de plâtre où s'évanouissaient les formes de la déesse Junon. Le médecin plissa les yeux, appela violemment le visage du couvreur. Il voulait se prosterner devant lui.

Puis, parce que la sensiblerie le gagnait, il sortit du fauteuil, chassa son rêve, fit quelques pas dans le salon. Il manqua de s'affaler dans la pénombre. Il contourna l'appentis aux oiseaux, puis s'approcha de son globe, une sphère du dix-huitième siècle rescapée de l'Institut, qu'il lança d'une chiquenaude. Elle se mit à tourner, à chuinter impeccablement dans le salon.

Le docteur se souvint de la roue à laquelle Ixion avait été rivé en châtiment de son amour, qui tournoyait sans cesse. Il posa sa paume sur le globe, sentit défiler les continents, perçut le léger gaufrage des dauphins surimprimés, des boutres qui délimitaient la surface océane. Il stoppa. A la dernière seconde, alors qu'il allumait les lampes du salon pour accueillir ses visiteurs, il eut comme un doute, une hésitation. Il retourna à la mappemonde, chercha Naples, la baie de Pouzzoles, puis l'Averne, l'ancienne Porte du monde… Dans son rêve de tout à l'heure, il avait voulu converser avec le petit archéologue Nelli, évoquer la miséricorde qui manquait aux lignées de héros. Il avait voulu aussi embrasser les tempes diaphanes d'Agathe.

Mais il ne dormait pas. Il lut sur le globe des mots imprimés, Cumes, l'Averne, des mots comme effrangés au bord de la péninsule, enfermés dans leur petit triangle de volcans éteints.

*

« Giulio s'est noyé ! » cria le fils Avelin.

Cette annonce tombait si maladroitement que le docteur ne put s'empêcher de sourire en ouvrant la porte du salon. Chacun gardait les yeux rivés sur le damier du carrelage. Le corridor était long de trois mètres, les protagonistes peu nombreux.

« On vous réclame, docteur, reprit l'étudiant.

– Bien. Allons-y.

– Nous avons le perroquet, dit également Hélène Vallier. Maurice est allé le récupérer sur le lac, il l'a remonté.

– Ah !... dit le médecin en haussant les sourcils. Il a besoin de mon aide ?

– Il n'est plus très heureux, continua la jeune femme. Regardez, Giulio Ferratti lui a bagué la patte… Avec mon annelet de bronze… ajouta-t-elle en bégayant et en se mettant à trembler.

– Il a l'air fatigué, il en a assez, intervint son maître. Peut-être faut-il s'arrêter là, lui faire une piqûre ?… Je crois qu'il la désire. Mon pauvre Trousse-galant est à bout, docteur. »

Alors, silencieusement, après un signe de Pierre Touraine, le petit groupe emboîta le pas à Hélène. L'escalier intérieur menait directement au cabinet. Le médecin, on ne sait pourquoi, désinfecta soigneusement le bréchet de l'oiseau avant d'y enfoncer son aiguille. Trousse-galant referma sans protester ses paupières squameuses. Elles prirent la teinte du vieux globe flétri, de la mappemonde.

Ils franchirent la porte l'un après l'autre, Luc tenant le perroquet, le docteur sa serviette et son carnet à souches, Hélène l'anneau qui sentait l'éther et qu'elle regardait luire sur sa paume.

Table

Cet ouvrage a été réalisé en caslon par Palimpseste à Paris

Achevé d'imprimer en décembre 1999
sur presse Cameron
par **Bussière Camedan Imprimeries**
à Saint-Amand-Montrond (Cher)
pour le compte de la Librairie Arthème Fayard
75, rue des Saints-Pères, 75006 Paris

35-33-0734-01/0

ISBN 2-213-60534-4

Dépôt légal : janvier 2000.
N° d'Édition : 9155. – N° d'Impression : 995277/4.

Imprimé en France